D. Burke

28/12/68

VUILLARD

Jacques Salomon

Vuillard

Avant-propos de John Rewald

GALLIMARD

Comme Degas, quoique avec beaucoup moins d'acrimonie, Vuillard a toujours découragé ceux qui voulaient parler de lui. Mais alors que l'étrange humilité de Degas se nourrissait d'un fort orgueil et d'un profond mépris pour la gent écrivassière, Vuillard était tout simplement modeste et sage. Puisqu'il lui était pénible qu'on s'occupât de lui, la meilleure et la plus efficace mesure pour échapper aux articles et aux gros ouvrages était d'empêcher qu'on les rédigeât. Ses amis et familiers ont respecté ce besoin de discrétion et ainsi Vuillard est peut-être le seul peintre important de notre époque, tellement friande de réclame et de tapage, qui ne vit jamais son nom sur la couverture d'un livre.

Si un tel état de choses était précisément pour lui plaire, il faut avouer qu'il prive les générations futures de tout témoignage direct, écrit par un contemporain et, si possible, revu par l'intéressé lui-même. L'historien d'art de l'avenir n'aura donc aucune documentation qui portera le sceau de l'authenticité que seul l'artiste peut lui imprimer. Du moins, pourrait-on le croire...

D'un autre côté, on ne saurait refuser son admiration à un homme qui a persévéré, sans la moindre défaillance, dans une attitude que beaucoup professent, mais que peu ont la force de maintenir. Vuillard, en effet, a suivi à la lettre ce que Cézanne écrivit en 1896 : « ...Je croyais qu'on pouvait faire de la peinture bien faite sans attirer l'attention sur son existence privée... Un artiste désire s'élever intellectuellement le plus possible, mais l'homme doit rester obscur. »

Il est vrai que, dans la vie de Vuillard, tout prêtait à l'obscurité puisqu'elle n'offrit point de faits saillants, de scandales, d'intrigues ou d'autres éléments qui fournissent des anecdotes plus ou moins pittoresques. Cela ne veut pas dire que cette vie si simple et si laborieuse était démunie de charme, de joies, de tristesses, et même de mystère — seulement, qu'est un mystère quand on le livre au public ?

S'imposer comme peintre sans jamais céder à la curiosité de la presse, sans dévoiler la moindre parcelle de son « existence privée », voilà une gageure qui, de nos jours, est devenue presque inimaginable. Peut-on concevoir ce que serait le prestige d'un Picasso (il n'est, bien entendu, pas question ici de ses mérites artistiques), ce que serait sa gloire, sa renommée mondiale, sans les chroniqueurs qui rapportent le moindre de ses gestes, sans les photographes qui le poursuivent jusque dans sa baignoire, et sans Picasso lui-même que tous ces enfantillages amusent prodigieusement ?

Évidemment, le silence auquel Vuillard avait contraint ceux qui auraient pu être ses biographes a été rompu après sa mort. Mais là encore, il a été servi admirablement par sa modestie et sa discrétion. Puisque son œuvre et sa vie sans histoires n'attiraient pas les hebdomadaires à grand tirage, ceux qui ont entrepris de les mettre en lumière étaient des auteurs hautement qualifiés et qui se sont acquittés d'une manière exemplaire de leur tâche délicate. Un Claude Roger-Marx, un André Chastel, mais surtout Jacques Salomon ont su trouver l'accent qu'il fallait pour dire aux fervents du peintre — toujours plus nombreux — quel était cet homme qui fuyait les foules et était d'autant plus heureux qu'on le laissait tranquille.

A Jacques Salomon revient une place toute particulière parmi ces biographes de Vuillard parce que, d'abord, il est peintre et donc à même de parler avec une compréhension exceptionnelle de tout ce qui touche à l'art et à la technique du maître qu'il admire. Qu'il s'agisse de signaler un problème visuel qui avait préoccupé Vuillard, ou d'expliquer les vertus spécifiques de cette peinture à la colle si souvent employée par l'artiste, ou encore de décrire sa méthode de travail, Jacques Salomon s'affirme comme un guide sûr et toujours excellemment renseigné. En effet, il a été, par-dessus tout, un familier de Vuillard et, à chaque instant, il est en mesure de rapporter des propos de celui-ci ou des souvenirs personnels qui confèrent une saveur touchante à ses écrits. Ayant épousé Annette Roussel, fille du meilleur ami, devenu le beau-frère, de Vuillard — cette Annette qui, dès son âge le plus tendre, fut un des modèles préférés de son oncle — Jacques Salomon est mieux placé que nul autre pour nous livrer cet homme tellement jaloux de son existence retirée.

Ainsi, l'historien de l'avenir disposera quand même d'un témoignage qui émane directement de l'entourage si restreint de Vuillard. Mais il aura mieux encore. Vuillard a tenu un Journal qu'au lendemain de sa mort K. X. Roussel, par scrupule et délicatesse, a confié à l'Institut avec la stipulation qu'il ne devrait être rendu accessible qu'après cinquante ans. C'est donc en 1990 seulement qu'il sera enfin permis de pénétrer dans le monde protégé de l'artiste. Que trouvera-t-on dans ce Journal ?

Nul ne le sait. Roussel, qui l'avait eu entre les mains, a disparu aussi (et il n'aurait d'ailleurs certainement pas divulgué le secret de ces pages). Ni l'auteur du présent ouvrage ni son préfacier ne peuvent posséder la certitude d'en prendre connaissance. Dans ces conditions, on serait presque tenté de dire qu'il faut un certain courage pour parler d'un artiste qui, dans quelque vingt ans, pourra démentir tout ce qui a été dit sur lui et se révéler complètement autre qu'on ne l'a décrit.

Ce « danger », s'il en a jamais été conscient, n'a pas dû inquiéter Jacques Salomon. Après avoir rendu muets tous ses amis, Vuillard parviendrait-il à encore imposer le silence (peut-être malgré lui) pendant un demi-siècle avant qu'on apprenne, grâce à son Journal, qui il était véritablement ? Jacques Salomon est trop possédé par cet amour agissant, cette admiration chaleureuse qu'il voue à l'oncle de son Annette, pour ne pas se consacrer à le faire mieux connaître sans trop se soucier du contenu de ce fameux Journal. Depuis 1940 a surgi une génération nouvelle qui a eu la possibilité de voir les œuvres de Vuillard dans les musées et les expositions, mais qui sait bien peu de l'homme et même du monde qui fut le sien et qui a disparu avec lui pendant la Seconde Guerre mondiale. C'est à cette génération que Jacques Salomon, témoin éveillé d'un passé qui recule chaque jour plus irrémédiablement, parle avec émotion de ce qu'il a vu et entendu (au fond de lui-même, il est reconnaissant au destin de l'avoir fait approcher l'homme exceptionnel que fut Vuillard et il s'acquitte ainsi d'une espèce de dette d'honneur).

En réalité, Jacques Salomon ne risque guère d'écrire sur Vuillard des pages qui, un jour, pourraient se trouver en conflit avec le Journal de l'artiste. Il y avait chez ce peintre une telle unité, une harmonie si constante entre la pensée et l'action qu'il semble inconcevable que son Journal puisse le faire apparaître autre que ne l'ont connu ses intimes. L'homme et sa modestie, ses attachements et amitiés auxquels il est resté fidèle toute sa vie, ses goûts, ses habitudes et son art si subtil et discret, tout cela forme un ensemble à ce point admirable et naturel que rien ne paraît devoir être capable d'y jeter une note discordante.

Il y a des artistes qui ont mené des luttes farouches contre la pauvreté, qui ont été dévorés par des ambitions démesurées, qui se sont épuisés dans un perpétuel effort pour se dépasser, qui ont voulu jouer un rôle sur la scène d'une société frivole et peu encline à admettre des nouveautés, qui ont été éternellement frustrés et malheureux. Tel n'était pas le cas de Vuillard. La vie qu'il a menée était exactement celle qu'il avait choisie, qui lui convenait, qui lui permettait d'être lui-même et de produire. Il n'en désirait pas davantage. Alors que Gauguin s'embarquait pour les antipodes afin d'y découvrir des sujets nouveaux et le bonheur que procurent les vahinés, Vuillard, sans signer de manifestes, sans donner des interviews, sans en dire mot à personne, avait décelé que les quatre murs de l'atelier de couture de sa mère, un papier peint à ramages, une fenêtre ouverte, une robe fleurie, le moindre objet de la vie quotidienne contenaient une poésie que toute une existence ne suffirait pas à épuiser. Et il en va de même pour les quelques visages qui lui étaient chers et qu'il ne s'est jamais lassé d'étudier et de reproduire tendrement. Dans toute l'histoire de la peinture, il ne doit pas y avoir une vieille maman qui ait été peinte aussi souvent que celle de Vuillard. Pourtant, on ne note jamais chez lui de répétition stérile parce que l'artiste observe son entourage avec un tel amour qu'il discerne perpétuellement en lui des attraits insoupçonnés. Il faut être modeste et doué d'une vision fraîche et ingénue pour pouvoir se contenter une vie durant d'un cadre aussi étroit et y faire jour par jour des découvertes nouvelles. Peindre, après tout, c'est découvrir d'abord, puis faire partager sa découverte à travers son œuvre.

Signac a senti cela, qui cependant était d'une tout autre trempe et dont les théories et le caractère étaient diamétralement opposés à ceux de Vuillard. C'est ainsi que, après une visite chez celui-ci, Signac a noté, en 1898, dans son Journal : « C'est un garçon fin et intelligent, artiste nerveux et chercheur. On le sent passionné d'art et inquiet. C'est aussi un homme de vie digne et respectable. Il vit avec sa mère et, loin des coteries, dans ce petit appartement familial, il travaille. Il me montre tous ses essais de diverses périodes par lesquelles il est passé. Ses petites notations d'intérieurs sont d'un grand charme. Il comprend à merveille la voix des choses. Ils sont d'un beau peintre, ces tableaux d'une polychromie sourde, dans laquelle jaillit toujours un éclat coloré qui règle l'harmonie de l'œuvre. Le contraste de tons, un clair-obscur savamment établi, équilibrent les diverses teintes qui, bien que ternes et grises, sont toujours rares et raffinées... »

Un jour, en ouvrant enfin le Journal de Vuillard, on apprendra peut-être ce que celui-ci aura eu à dire de cette rencontre avec Signac, et de la sorte se précisera le portrait d'un homme qui n'a jamais cherché à être différent des autres, mais qui, pourtant, l'était foncièrement parce que son âme et son cœur se partageaient ce don de comprendre à merveille, comme l'a constaté Signac, « la voix des choses ». Et en attendant de pouvoir lire ce qu'il a cherché à retenir dans son Journal — des pensées sur l'art ? des observations sur la vie en général ? des potins ? des révélations sur sa vie sentimentale ? de menus faits d'une existence calme ? qui sait ! — nous aurons toujours les pages de Jacques Salomon pour nous rapprocher de ce peintre exquis qui gagne tant à être connu plus profondément.

John Rewald.

New York, janvier 1968.

à Annette.

En 1934, Vuillard peignait le portrait de M. David-Weil. Celui-ci, ayant admiré chez Vuillard un très beau portrait de K. X. Roussel par lui-même, eut l'heureuse idée de demander à Roussel de faire le portrait de Vuillard. Roussel ne peignait guère de visages, en dehors du sien qu'il a souvent interrogé devant les miroirs ; cela tenait à ses scrupules et à la lenteur avec laquelle il travaillait. Ce dessin, à peine rehaussé de blanc, exigea, je m'en souviens, plus de vingt séances de pose, longues et silencieuses, auxquelles Vuillard se prêta avec une grâce et une patience exemplaires. Qui, mieux que Roussel, a connu et aimé Vuillard ?... Quelle meilleure introduction pouvais-je proposer à la connaissance de Vuillard que ce témoignage ?

Quand on ne parle pas des choses avec une partialité pleine d'amour, ce que l'on dit ne vaut pas la peine d'être rapporté.

Gœthe.

Quel autre peintre, par ses seuls tableaux, nous a-t-il pris à témoin, aussi intimement que l'a fait Vuillard, les aspects de son temps et de sa vie quotidienne?

Discrètement, il nous initie au mystère de ces chambres silencieuses, modestes, où s'est passée sa jeunesse. Mieux que par un récit, nous apprenons qui était sa mère, que nous suivons, avec Vuillard, dans ses occupations à la maison. Nous approchons ceux qui ont été ses compagnons d'existence, auxquels, par des portraits et parfois de simples mais si expressives silhouettes, il a insufflé une vie aux infinis prolongements qui en fait des personnages de la comédie humaine.

Nous distinguerons les êtres qu'il a aimés profondément et nous jugerons combien sa vie fut toujours guidée par le sentiment. Il s'ensuit que ses tableaux sont aussi évocateurs et souvent aussi émouvants que des confessions ou des mémoires.

Puis, cédant aux sollicitations des amateurs, il a peint leur portrait en les représentant dans leur fonction et en les intégrant au décor de leur propre habitation, ce qui ajoute singulièrement à leur ressemblance psychologique et atteste, en même temps, des modes de l'époque.

Enfin, parisien de souche et de cœur, il nous a révélé un Paris tout intime en nous montrant des rues, des boulevards, des jardins, des squares animés de personnages tout pleins de cette vie qu'il goûtait avec tant d'esprit.

Ce n'est que tardivement que l'œuvre de Vuillard s'est révélée à moi dans cette universalité. Des notices, inspirées par les tableaux qu'elles accompagnent, aideront à mieux apprécier, à travers les œuvres, la parfaite identité entre l'artiste et l'homme.

Je ne saurais dire si les tableaux reproduits dans cet ouvrage sont les plus beaux qu'ait peints Vuillard; mon but n'est pas de l'embaumer, et son œuvre, qui déborde de vie, ne saurait souffrir l'immobilité. Je me suis donc inspiré de mon modèle qui, nous le verrons, ne choisissait pas la pose des siens ; ce sont eux qui s'imposaient à lui. Ainsi l'ont fait ses tableaux pour moi.

Vuillard se défendait énergiquement de tout ce qui risquait de le déranger dans son travail. Il redoutait particulièrement la publicité qui crée tant de malentendus autour d'un nom. Lorsqu'un écrivain d'art tentait d'obtenir de lui un simple entretien, les moyens auxquels il en était réduit pour s'y soustraire rendaient Vuillard malade. Reconnu par un petit nombre, il ne retirait de son travail que ce qui lui suffisait à mener une vie modeste en conformité avec ses goûts. Aujourd'hui, ses œuvres étant mieux connues, Vuillard s'achemine vers la place que la postérité lui réserve.

Cependant les Professeurs, persuadés que le progrès des sciences, qui a tant modifié nos conditions de vie, devait nécessairement entraîner le peintre à chercher d'autres voies que celle qui lui est assignée, à savoir, comme l'a écrit Poussin : l'imitation de tout ce qui se voit sous le soleil, *les Professeurs, dis-je, ont décrété qu'à partir d'une certaine époque l'art de Vuillard s'est embourgeoisé, et d'aucuns ne veulent retenir de son œuvre que ses tableaux de jeunesse qui paraissent se réclamer de théories qui leur sont chères.*

Il faut reconnaître que les systèmes de classement sont fort goûtés du public qui veut apprendre, et fort commodes aussi pour ceux qui prétendent enseigner. Mais peut-on enseigner l'art, qui relève du goût, qui, lui-même, ne réside que dans le secret des êtres?

*C'est par des exemples seulement que l'on peut répondre, et je souhaite que les tableaux que je propose dans ces pages révèlent à ceux qui ne s'en sont pas encore avisés quelle était la vraie personnalité de Vuillard. Vuillard était tout le contraire d'un esthète, et sa vie fut celle d'un artisan. C'est ainsi qu'il aimait lui-même à se définir. Sans cesse attentif à tout ce qui pouvait enrichir sa conscience afin de mieux approfondir son métier, c'est en se soumettant de plus en plus à l'*objet *que Vuillard a réalisé cet accord entre sa personne et l'univers qui fait que ses dernières œuvres sont les plus accomplies. Vuillard ne nous a donc pas laissé une méthode mais un exemple.*

LA FAMILLE VUILLARD - ENFANCE ET ADOLESCENCE

Édouard Vuillard était le dernier-né d'une famille parisienne. Son père, Joseph, François, Honoré (1811-1883), après avoir fait carrière aux colonies sous le second Empire et servi sous Faidherbe au Sénégal, avait dû prendre sa retraite, comme capitaine, à la suite de blessures. A son retour, Honoré Vuillard retrouva à Paris son cousin Michaud, industriel en tissage, dont l'usine était à Fresnoy-le-Grand (Aisne) et les magasins de vente à Paris, rue Montmartre. Malgré une très grande différence d'âge, Honoré épousa sa petite-cousine Marie, qui avait vingt-sept ans de moins que lui. Puis, ayant obtenu un poste de percepteur, il fut nommé à Cuiseaux (Saône-et-Loire), où le ménage alla s'installer ; Édouard Vuillard y naquit le 11 novembre 1868.

Il y a peu à dire sur son enfance provinciale, si ce n'est qu'il commença ses études chez les Frères maristes. C'était un enfant doux et rêveur, et très appliqué. Peu exigeant dans ses jeux, il répondait, quand on le questionnait, qu'il s'amusait avec « Monsieur Rien-du-Tout », et nous verrons, par la suite, le rôle que ce personnage a joué dans son œuvre. Un des souvenirs qu'il gardait de Cuiseaux était d'avoir vu Puvis de Chavannes, qui habitait la région, descendre de son tilbury pour venir payer ses impôts au bureau paternel, souvenir qu'il aimait évoquer plus tard.

En 1877, la famille Vuillard regagna Paris et s'établit dans le quartier de l'église Saint-Vincent-de-Paul. Le jeune Édouard fréquente l'école Rocroy-Saint-Léon, établissement le plus proche de sa résidence et également tenu par les Frères maristes. Quand vint le temps des études plus sérieuses, il entra au lycée Condorcet, en qualité d'externe boursier. Sa sœur Marie, comme fille de militaire, était pensionnaire à l'établissement de la Légion d'honneur. Son frère Alexandre, de dix ans son aîné, préparait Polytechnique. Quelle serait la vocation d'Édouard ?... Édouard déclarait fermement qu'il serait militaire et entrerait à l'École de Saint-Cyr. En attendant, il poursuivait ses études, ne cessant de se montrer un élève fort studieux et même brillant. A l'âge de quinze ans, en 1883, il perdait son père. Ses maigres rentes et la modeste pension de son mari décidèrent Mme Vuillard à entreprendre un commerce de modes en appartement. C'est dans l'atelier de couture, au milieu des ouvrières, qu'Édouard devait, quelques années plus tard, trouver les sujets de ses premiers tableaux.

Vers cette époque se situe sa rencontre avec Xavier Roussel, son aîné d'un an, lui aussi élève à Condorcet, rencontre qui fut, comme on va le voir, déterminante dans la vie de Vuillard.

Le père de Xavier Roussel était médecin et sa situation des plus aisées. Il fréquentait des artistes, des peintres particulièrement, et, très tôt, son fils, encouragé par les amis de la famille, avait décidé qu'il serait peintre. C'est à l'atelier Maillart qu'il fit ses premiers pas, tandis que Vuillard était encore en rhétorique. Les deux jeunes gens étaient devenus rapidement intimes, et l'exemple de Roussel ne tarda pas à se montrer irrésistible. Quelles raisons déterminèrent Vuillard à abandonner son projet, qui semblait pourtant bien enraciné, d'entrer à Saint-Cyr, pour la carrière des arts ?... Rien ne laissait prévoir ce changement d'orientation. Sans doute, Vuillard, très appliqué dans tout ce qu'il entreprenait, était-il dans les premiers au cours de dessin, mais il n'avait rien d'un prodige et, en dehors des brèves heures de classe, il ne se livrait à aucun exercice artistique.

L'admiration qu'il vouait à son aîné dut être bien forte pour le décider, après mûres réflexions, à renoncer à la « carrière des armes » — où, de son propre aveu, le poussait « l'ambition de se distinguer » — et à se lancer, sans fortune, dans un avenir plein d'aléas.

Mme Vuillard accepta cette détermination avec le plus grand calme. Ayant toujours admiré le caractère sérieux de son grand garçon, elle lui fit aussitôt confiance et, repoussant les appréhensions de son entourage, elle encouragea même Édouard dans cette voie « puisque c'était son idée ». De cette confiance, Vuillard, toute sa vie, sut gré à sa mère.

Pierre Véber nous apporte, dans un portrait-souvenir, un témoignage précieux sur son condisciple de Condorcet :

« J'ai toujours pensé que les camaraderies n'étaient pas abandonnées au hasard. C'est ainsi qu'une très grande sympathie réunit les êtres qui semblaient les moins faits pour s'apprécier : Édouard Vuillard, Maurice de Coppet et votre serviteur. Vuillard était un garçon de moyenne taille, très réfléchi, parlant peu et lentement, comme s'il avait le souci de trouver le mot juste qui convînt à l'expression exacte de sa pensée. Il parlait d'une voix douce qu'interrompait parfois un bref rire ingénu. De bonne heure, Édouard Vuillard porta une belle barbe que l'âge blanchit à peine. » (Pierre Véber, « Mon ami Vuillard », *Les Nouvelles littéraires*, 30 avril 1938.)

Voici donc Roussel et Vuillard chez Ulysse, Diogène, Napoléon Maillart. Qui était ce Maillart aux prénoms si ronflants ? Un prix de Rome et un peintre du Salon, qui eut son heure de célébrité, tout au moins dans les milieux officiels. Il occupait, place de Furstenberg, le propre atelier d'Eugène Delacroix et donnait le soir ses cours à l'École des Gobelins. Nos deux amis devaient évoquer bien souvent, par la suite, ces retours à pied à travers Paris, pour rejoindre, l'un la rue de Provence, l'autre la rue du Marché-Saint-Honoré, où, dans l'échange des projets d'avenir, se nouaient des liens d'une amitié que les années ne feraient que resserrer.

Ils y dessinent dans l'esprit de l'École, d'après le modèle vivant. Ils y rencontrent Charles Cottet, leur grand aîné. Peintre de talent, Cottet a déjà eu des succès au Salon, et c'est, de plus, un homme de cœur. On reparlera bien souvent « du bon et cher Cottet ».

En 1888, nos jeunes gens se dirigent vers l'académie Julian, rendez-vous de la jeunesse indépendante, ce qui n'empêchait pas Vuillard de suivre parallèlement, rue Bonaparte, le cours Yvon où l'on dessinait d'après l'antique. Fidèle à sa nature, Vuillard se montrait toujours très appliqué, et ses premières études d'après le modèle vivant, qu'il a conservées, témoignent de dons tout à fait exceptionnels.

A l'École, Vuillard se lie étroitement avec Marc Mouclier ; il nous dira, bien des années plus tard, combien Mouclier l'a intéressé et assisté dans sa formation artistique.

C'est chez Julian que se forma, à cette époque, le fameux groupe des *Nabis*, composé tout d'abord de Roussel, Maurice Denis, Paul Ranson, Ibels et Bonnard.

A l'appel de Sérusier, de retour de Pont-Aven et tout enflammé de sa rencontre avec Gauguin, ceux-ci avaient pris l'habitude de se réunir dans un bistrot de l'impasse Brady pour y discuter de la nouvelle esthétique dont Maurice Denis devait être le théoricien.

L'esprit qui animait nos jeunes gens était à l'opposé de celui de l'École où le chahut et la blague étaient de règle. Les Nabis étaient graves, ainsi qu'en fait foi cette lettre de Sérusier à Maurice Denis pour le féliciter de sa rencontre avec Vuillard :

« Je t'envie quand tu me parles du nouveau frère que Ballin a dirigé vers nous. Qu'il soit le bienvenu. Je rêve pour l'avenir d'une confrérie épurée, uniquement composée d'artistes persuadés, amoureux du Beau et du Bien, mettant dans leurs œuvres et dans leur conduite ce caractère indéfinissable que je traduis par *nabi*. » (Voir *Théories* et *Nouvelles Théories* de Maurice Denis, *Le Tourment de Dieu* de Verkade, *L'A. B. C. de la Peinture* de P. Sérusier, suivi de *Sa vie et son œuvre* par Maurice Denis.)

Un jour, Maurice Denis invitera Vuillard à aller le voir chez lui à Saint-Germain-en-Laye. Il lui montrera sa peinture, et Vuillard, en sortant, ira déclarer à son ami

Roussel : « Quel garçon bouillonnant... et quelle drôle de peinture il fait ! » A la vérité, c'est plutôt vers le Salon, où régnait le naturalisme de Bastien Lepage, issu de Courbet, que, à cette époque, s'orientait Vuillard, et c'est parmi les peintres officiels qu'il se dirigeait.

Après Sérusier et Denis, c'est Paul Ranson qui se montre le plus convaincu des Nabis. Il apporte en outre à leurs réunions, qui ont lieu le plus souvent dans son atelier, une fantaisie et un entrain des plus communicatifs. On y rit, on y chante, on raille la bourgeoisie, on y boit du punch. Ranson est l'aîné de tous, il est marié à une charmante femme qui est la gaieté même et que Sérusier appelle « la lumière du Temple ».

Pour égayer encore ces réunions, Ranson imagine un guignol. D'après ses dessins, leur ami Lacombe, qui, plus tard, fera les bustes des Nabis, sculpte dans le bois des têtes inénarrables de drôlerie, et Ranson compose lui-même des comédies que vient agrémenter la musique de Claude Terrasse, le beau-frère de Bonnard, qui, délaissant les grandes orgues de l'église de la Trinité, s'est joint au groupe. Il est au piano, tandis que Ranson, derrière un paravent, aidé de sa femme qui lui passe les marionnettes, se dépense en commentant les écarts d'*Abbé Prout*, son principal héros.

Pendant l'été de 1890, Ranson, s'absentant de Paris, propose à Vuillard, qui ne dispose pas d'atelier, de venir travailler dans le sien, boulevard du Montparnasse, situé dans une partie de l'ancien hôtel de Mme de Montespan. Vuillard, enchanté de l'aubaine, s'y livrera à toutes sortes de recherches de synthèses et aussi à de patientes études sur nature, dont l'importance et la variété sont des plus significatives, et qui marquent un moment très important de son évolution.

LUGNÉ-POE ET LE THÉATRE DE L'ŒUVRE

A Condorcet, Vuillard s'est lié d'amitié avec un grand garçon très remuant, tout à l'opposé de sa nature, et qui porte le nom étrange de Lugné-Poe. Il était aussi l'ami de Roussel et de Maurice Denis, mais lui, c'est vers le théâtre que le poussait son ambition. Reçu au Conservatoire, il jouait sur de petites scènes et s'employait auprès d'Antoine. Très actif et plein d'entregent, Lugné a tenu un rôle capital dans les débuts de nos jeunes peintres en contribuant à les faire connaître. Il s'improvisa même leur démarcheur et, un tableau sous chaque bras, il courait tout Paris à la recherche d'amateurs que, grâce à son bagout, il arrivait souvent à convaincre.

Dans ses lettres à Lugné-Poe qui accomplit son service militaire, Denis témoignera de l'intérêt que représentent pour lui et ses amis, dès cette époque, les travaux de Vuillard : « ... Ses petites chambres sont extraordinairement décorées avec les petits dessins et les petites peintures. Il a un talent très rare. Vuillard est celui d'entre nous qui le mérite le plus. » (Lugné-Poe, *Le Sot du tremplin.*)

Dans une autre lettre où Maurice Denis se plaint à son ami de se trouver dans l'obligation d'accepter des travaux qui l'écartent de ses préoccupations artistiques, on peut lire : « ... J'envie le bonheur de Vuillard qui ne fait que la peinture qu'il veut et cependant en tire profit. »

C'est dans un atelier, au 28 de la rue Pigalle, loué en commun par Roussel et Bonnard, que les amis se réunissent et qu'on agite, en fin de journée, au retour de Lugné, les problèmes artistiques et... financiers.

En 1892, le groupe expose chez Le Barc de Bouteville, qui exploite une petite galerie d'art rue Le Peletier. Ce fut la première manifestation d'ensemble. Gustave Geffroy, dans *La Vie artistique*, consacre un long article à nos jeunes peintres. Il remarque que « Pierre Bonnard et Édouard Vuillard sont certainement en possession du don de la nuance » et qu'on découvre dans leurs œuvres exposées « un jeu de lignes symétriques et contrariées, mêlées et démêlées avec un goût charmant, compliqué et contourné de la décoration ». Ce goût de la décoration, Vuillard va bientôt trouver à l'appliquer au théâtre.

En 1893, Lugné-Poe, trop indépendant pour continuer à travailler sous la férule d'Antoine, se propose de monter lui-même un spectacle. Ce sera *Pelléas et Mélisande* que vient de lui apporter un autre débutant, Maurice Maeterlinck.

Toujours dans son livre de souvenirs, Lugné raconte ses débuts et rend hommage au concours qu'il trouva tout de suite parmi ses anciens condisciples de Condorcet. Comme, un soir, on cherchait le nom que l'on donnerait au futur théâtre, ce fut Vuillard qui, en ouvrant au hasard un livre qui traînait sur la table et tombant sur le mot « l'œuvre », proposa ce titre : il fut adopté d'emblée.

C'est à ces travaux de théâtre auxquels chacun collabora à partir de 1893, tant pour les décors que pour les programmes, que Vuillard dut la découverte de la peinture à la colle qu'il exploita tout aussitôt pour ses recherches décoratives et à laquelle il resta fidèle toute sa vie, même pour l'exécution de la plupart de ses grands portraits. Sérusier me racontait combien il était émerveillé de l'adresse avec laquelle Vuillard brossait un décor : « Sur ces grandes toiles, étalées à même le sol, Vuillard, armé d'un balai qu'il imbibait de couleur, semblait répandre ses tons au petit bonheur et, en séchant, cela devenait magnifique. »

Voici le portrait que Lugné nous donne de Vuillard à cette époque :

« On goûtait la paix souriante auprès de Vuillard. Rien de plus harmonieux que la vie, les gestes de Vuillard allant à la bonté sans paraître la rechercher; s'effaçant toujours avec la plus exquise pudeur derrière les mérites des autres qui le respectaient. Il se maintint dans les ombres avant de projeter sa lumière si variée qui lui est venue en même temps que chacun de ses cheveux blancs. De tous, celui, dès la première minute, qui se montra le plus intéressé par le théâtre et qui se montra le meilleur conseiller d'ensemble, fut Édouard qui m'accompagna souvent aux classes du Conservatoire. »

La plus grande partie des programmes de l'Œuvre furent dessinés par Vuillard. Signalons ceux de *Rosmersholm*, *Les Soutiens de la société*, *Solness*, *Les Ennemis du peuple*, d'Ibsen ; *La Vie muette*, de Beaubourg ; *Les Ames solitaires*, de Hauptmann ; *Au-dessus des forces humaines*, de Björnson.

Au dos des programmes, sur la double page, souvent un autre dessin invite à lire *La Revue blanche*.

C'est par Pierre Véber que Vuillard fut conduit dans le milieu de cette revue fondée en 1891 par les frères Natanson, d'origine polonaise. Alexandre, l'aîné, en assurait la direction, Thadée et Alfred, qui signait Athis, y rédigeaient des chroniques sur les arts. C'est dans l'entrée des bureaux de la revue, 1 rue Laffitte, que Vuillard fit plusieurs petites expositions. « Les cadres, trop dispendieux, étaient remplacés par des bandes de papier. »

A *La Revue blanche*, Vuillard se trouva en contact avec tout un monde de gens de lettres auxquels ne tardèrent pas à se mêler ses amis de chez Julian. Il y rencontra Lautrec, mais la gouaille perpétuelle de ce dernier exaspérait Vuillard. Ce n'est qu'un peu plus tard, au cours de leurs séjours à Valvins et à Villeneuve-sur-Yonne, où villégiaturait le jeune ménage Thadée Natanson, qu'ils se fréquentèrent quelque peu. En revanche, Vuillard rencontra en Misia Natanson, la femme de son ami, un être extraordinairement doué pour les arts, remarquable pianiste et qui avait fait presque exclusivement sa société de ses amis les peintres, lesquels en témoignèrent par les nombreux portraits et scènes qu'elle leur a inspirés. Ajoutons qu'elle avait aussi en Mallarmé, leur voisin de campagne, un admirateur passionné.

LES PREMIÈRES COMMANDES

En 1893, Alexandre Natanson invite Vuillard à décorer la vaste salle à manger de l'hôtel particulier qu'il vient d'acquérir avenue du Bois-de-Boulogne. Une grande soirée d'inauguration y rassemble le Tout-Paris artistique. Lautrec, installé derrière un bar américain, au rez-de-chaussée, accueille les arrivants en leur offrant des mélanges fortement alcoolisés, dont Vuillard fut une des premières victimes. En effet, le seul souvenir qu'il garda de cette soirée est celui de s'être réveillé tout habillé, souliers aux pieds, dans le lit de la maîtresse de maison lorsque celle-ci, au petit matin, montait se coucher. Quand Vuillard me contait la chose, il en était encore tout confus.

De la même façon que les décors de l'Œuvre, c'est à la colle que Vuillard exécuta les neuf panneaux de cette commande. En 1929, lors de la vente de la collection d'Alexandre Natanson à l'hôtel Drouot, comme je m'étonnais de la fraîcheur qu'avaient conservée ces peintures et que je demandais à Vuillard quelles étaient les couleurs qu'il avait employées : « Les plus mauvaises, me répondit-il en souriant, celles que j'achetais chez le droguiste du coin : les verts anglais, le bleu charron et le blanc de Meudon en pain. »

A cette vente, l'État acheta par option trois de ces panneaux, aujourd'hui au Musée d'Art moderne. Le total atteignit la somme de 900 000 francs. « Ce n'est pas mal », déclara Vuillard, amusé, en me révélant confidentiellement la modique somme qu'ils lui avaient été payés.

En 1896, Vuillard fait la connaissance du Dr Vaquez, avec lequel il se liera par la suite d'une étroite amitié et qui lui commandera tout d'abord les quatre grands panneaux légués à la Ville de Paris en 1936 et qu'on peut admirer au Petit Palais. Plus tard, en 1913, il exécutera, encore pour le Dr Vaquez, deux grandes compositions représentant la place Saint-Augustin.

Il est fort intéressant de comparer ces deux œuvres importantes. Depuis longtemps déjà, Vuillard, qui s'est dégagé des influences de sa jeunesse et définitivement écarté de la conception symboliste, s'oriente, loin de tous systèmes, vers une sorte de réalisme objectif, tendant vers l'idéal élevé que définissait, dès 1895, Maurice Denis dans *Théories* quand il écrivait :

« Peut-être un jour arriveront-ils [les Nabis] à la nature, c'est-à-dire que leur perception des choses pourra devenir assez complexe, assez profonde, pour que l'œuvre d'art réalisée par eux conserve tous les rapports logiques qui sont le caractère essentiel de la nature vivante et qu'ainsi il y ait plus d'analogie entre l'objet et le sujet, entre la création et l'image qu'ils en auront restituée. »

LA RUE LAFFITTE - LA GALERIE BERNHEIM - VOLLARD - L'ÉTANG-LA-VILLE LE MILIEU HESSEL

En 1896, une critique élogieuse d'Octave Mirbeau vaut à Vuillard et à Bonnard d'exposer chez Durand-Ruel, où nos deux jeunes artistes se mêlent pour la première fois à leurs grands aînés. Gustave Geffroy, qui continue à s'intéresser à eux, note judicieusement le charme et la variété de leur talent :

« Il y a évidemment une ressemblance entre les deux artistes dans la façon de rendre une scène, et je vois de grandes différences : ainsi Vuillard est un coloriste plus franc, plus hardi à faire éclater les floraisons bleues, rouges, jaune d'or, et, en même temps, on le sent d'esprit mélancolique, de pensée grave. Bonnard, au contraire, est un peintre gris, se plaît aux nuances du violacé, du roux, du sombre ; et pourtant dans chacune de ses notations la malice d'observation, la gaîté gamine, se révèlent d'une distinction charmante. »

Puis, l'année suivante, le groupe nabi, un peu élargi, montrera un important ensemble chez Bernheim. Vuillard y figure avec Bonnard, Maurice Denis, Ibels, Maillol, Hermann Paul, Ranson, K. X. Roussel, Valtat et Sérusier.

Vers 1900, c'est exclusivement rue Le Peletier et rue Laffitte que se tient le marché de la peinture. Tout près de chez Durand-Ruel, où l'on pouvait admirer de magnifiques ensembles de Manet, Renoir, Monet, Degas, la galerie Bernheim exposait encore des peintres du Salon : Henner, Roybet, Juana Romani, Théodule Ribot.

Un peu plus bas, près des boulevards, se trouvait la boutique de Vollard où apparaissaient en vitrine des Cézanne et des Van Gogh et où, le soir venu, autour d'une simple lampe Pigeon, conversaient quelques ombres, tandis que Vollard, silencieux, déambulait dans le fond de la pièce. Ces ombres étaient Monet, Renoir, Degas et Pissarro.

La galerie Bernheim était alors dirigée par le père, dont Jos Hessel, son cousin, était le principal employé. A sa mort, c'est Hessel qui fit l'éducation des deux fils, les futurs « Bernheim Jeune », dont il se sépara vers 1913 pour ouvrir un magasin rue La Boétie et devenir le grand marchand et l'organisateur, avec A. Bellier, des ventes de l'hôtel Drouot.

Il y aurait bien à dire sur la réussite de Jos Hessel. D'origine belge, il arriva tout jeune à Paris, où il fit ses premiers pas dans le journalisme, tenant magistralement dans *Le Figaro*, disait pour le taquiner son ami Tristan Bernard, la « chronique des chiens écrasés ». Rapidement, le goût du jeu et de la spéculation l'entraîna dans le commerce des tableaux modernes à la suite des impressionnistes dont la vogue s'était emparée. C'est lui qui, particulièrement intéressé par les œuvres de Vuillard, Bonnard et Roussel qu'il avait remarquées chez Le Barc de Bouteville et dans les bureaux de *La Revue blanche*, introduisit nos jeunes peintres dans la galerie Bernheim où, au cours des années qui suivirent, remplaçant les médaillés du Salon, ils firent des expositions, donnant ainsi à la maison une orientation nouvelle. Hessel se flattait d'avoir découvert Vuillard en montrant plus tard aux amateurs de petits tableaux qui ornaient les murs de son appartement rue de Naples et qu'il avait acquis à des prix dérisoires.

C'est par Maurice Denis que Vollard s'intéressa lui aussi, vers la même époque, aux trois amis.

Ce grand marchand, qui se vantait d'avoir fait fortune en dormant, était tout au contraire un homme des plus éveillés. Profond psychologue, il passait son temps à recueillir l'opinion des artistes sur leurs confrères, sans toutefois émettre le moindre avis personnel. En revanche, s'il parlait peu, il agissait, et non sans audace. Loin de s'accorder le mérite d'avoir eu entre les mains les plus belles œuvres de son temps, il déclarait avec la plus parfaite sincérité qu'il avait simplement eu de la chance. Mais cette chance, plus certainement qu'à une réelle compétence, il la devait à ce qu'il savait écouter.

Dès qu'il débuta dans l'édition, au lieu de faire appel à des illustrateurs professionnels, il eut l'idée de s'adresser à nos jeunes artistes, et c'est ainsi que nous devons à Vuillard cette belle série de lithographies en couleur d'une si audacieuse conception et devenue si rare. A travers des perspectives singulières, il cherche avant tout, dans une gamme réduite et franche, des accords de couleurs. Cet ensemble représente des intérieurs avec tapisseries à fleurettes : M. et Mme Natanson jouant aux dames, Mme Vuillard dans sa cuisine, et aussi des extérieurs : terrasses de café, trottoirs, jeunes filles dans la rue, sans aucun lien littéraire entre ces compositions.

Un autre album fut sans doute amorcé, à moins que les planches auxquelles je fais allusion ne soient des essais ou des épreuves écartées. Ce sont d'abord : une couverture représentant un panier à linge et portant le titre : *Estampes originales d'Éd. Vuillard éditées par Vollard ; Enfants jouant dans la campagne ; La Naissance d'Annette* et *Mme Vuillard travaillant.* Dans un format plus petit : *Salle de théâtre vue des hautes places.*

En 1900, Roussel va habiter L'Étang-la-Ville, dans la partie du village dite « La Montagne ». En 1893, il a épousé la sœur de Vuillard. Le dimanche, les Nabis viennent déjeuner et passer l'après-midi à la Coulette. Finies les théories, on fait de grandes promenades dans la campagne et dans la forêt de Saint-Germain. Nous y rencontrons Vuillard, Bonnard, Ranson, Maurice Denis, Sérusier, Luce, Vallotton.

Beaucoup de scènes d'intérieur, de paysages, de ruelles, marquent cette époque, et surtout deux grands panneaux décoratifs exécutés pour les Natanson. Ces panneaux sont peints à l'huile dans un parti pris nettement décoratif, très transposés, avec des tons limités aux beiges et aux verts assourdis, en teintes plates, traités comme une tapisserie. Ce sont sans doute les derniers spécimens de l'influence « nabi-japonisante ».

Depuis quelques années, Vallotton, qui a épousé la sœur des Bernheim, a introduit son ami Vuillard dans l'intimité du milieu Hessel, où il retrouve son condisciple Pierre Véber, marié avec la sœur de Tristan Bernard. Le salon des Hessel, rue de Rivoli, est ce qu'on appelle un milieu « très parisien » où Vuillard va rencontrer tout un monde d'amateurs de peinture et de théâtre — ses modèles désormais, dont le plus constant sera Mme Hessel.

Après sa mère bien entendu, c'est incontestablement Mme Hessel qui a pu se flatter de l'avoir le plus inspiré, lui servant inlassablement de modèle et de confidente. Belle et élégante, sans être jolie, elle alliait à une réelle distinction de très grandes qualités de jugement et de cœur. Généreuse, autant que Vuillard l'était lui-même, s'intéressant à ses travaux, elle lui apporta toujours les encouragements et le réconfort si indispensables à l'existence d'un artiste.

Désormais, ses nouveaux amis l'entraîneront dans leurs villégiatures estivales. Vuillard ira donc habiter près d'eux, avec sa mère, dans un petit chalet des environs et, sa journée finie, il se délassera dans ce monde brillant, prenant force notes qui alimenteront son travail du lendemain. Souvent Roussel et sa famille les y rejoindront.

De ces étés passés sur les rivages de Bretagne ou de Normandie, Vuillard rapportera beaucoup de tableaux de plages et de ports. Mais aussi et surtout des scènes d'intérieur où nous reconnaissons ses amis dans leurs occupations variées : gens à table, joueurs de dames ou de bridge, soirées sous la lampe, lecture des journaux, dames conversant, et haltes au cours des promenades dans la campagne.

Ces périodes sont très fécondes du fait du changement de décors et d'habitudes qui renouvellent ses sujets.

C'est presque toujours un croquis qui sera l'amorce du tableau, car Vuillard peint rarement sur nature, et nous ne lui avons jamais connu de chevalet de campagne. Il n'avait pas le goût des départs matinaux à la découverte du motif. Ses sujets, il les avait sans cesse sous les yeux, et son partenaire « Monsieur Rien-du-Tout » ne l'abandonnait jamais.

Au retour des vacances, la vie parisienne reprend ses droits : dîners, réunions, soirées au théâtre où l'entraîne Lucie Hessel, chez qui il prendra l'habitude d'aller dîner le soir, sa journée de travail terminée. Il sourit au monde qui l'amuse, silencieux et méditant dans son fauteuil. Il parle peu : « Le silence me garde », aimait-il à dire ; ou alors c'est pour prendre un net parti dans une discussion sur certaines questions qui lui tiennent à cœur ou couper court à quelque médisance.

LES AMATEURS

A partir de 1900, de petites expositions chez les Bernheim vont mettre Vuillard en évidence. Depuis quelques années, il expose aussi au Salon des Indépendants, dédaignant les salles dites « d'honneur » où l'on se dispute les places, il préfère voisiner avec son ami Bonnard dans les coins discrets. Ses tableaux n'en seront que mieux remarqués et la critique le déclarera « un intimiste d'une rare délicatesse, un de ceux dont on regrette la modestie, la production trop volontairement restreinte à de petites choses précieuses en présence de dons admirables dont on souhaiterait l'épanouissement ». (Camille Mauclair, *Les Néo-Impressionnistes*, 1904.)

Ces manifestations ont mis Vuillard en rapport avec des amateurs. C'est ainsi qu'il fait la connaissance d'Arthur Fontaine, qui lui commande son portrait, celui de sa femme et de sa fille Jacqueline, et pour qui il peindra chez eux de nombreuses scènes d'intimité. Plus tard, en 1930, il fera le portrait de sa belle-fille, Mme Jean-Arthur Fontaine, qui compte parmi ses chefs-d'œuvre.

Pour Claude Anet, il peindra plusieurs grands panneaux — des merveilles — qui sont représentés pp. 80-81 de ce livre ; et aussi une *Fin de déjeuner en Normandie* où figurent Tristan Bernard, Romain Coolus, Bonnard, Mme Claude Anet et le ménage Bernheim. En 1937, cette grande composition sera partagée en deux, et Vuillard en profitera pour apporter à chacune des parties des changements dont on peut juger l'importance d'après des photographies antérieures.

Pour Henry Bernstein, il peindra vers 1910 des panneaux en hauteur représentant des vues de Passy et des aspects de la place Vintimille. L'année suivante, il exécutera le grand tableau de cette même place et un exquis et spirituel paravent pour la princesse Bassiano. En 1912, ce sera la décoration du foyer de la Comédie des Champs-Élysées. On peut y admirer *Le Malade imaginaire*, *Le Petit Café* de Tristan Bernard, le Guignol, *Grisélidis*, *Pelléas et Mélisande* et, dans des médaillons-dessus de porte, Marthe Mellot se maquillant et Lugné-Poe ajustant une barbe. Les ouvertures sur la salle sont surmontées de panneaux de fleurs.

Dès le début de la guerre de 1914, Vuillard, quoique n'ayant fait aucun service militaire, subit le sort de sa classe et est affecté comme garde-voie à Conflans-Sainte-Honorine, près de Paris. Il ne sollicitera pas une affectation plus douce, et c'est avec sa conscience habituelle que, jour et nuit, le fusil en bandoulière, il s'acquittera de son service pendant ce premier et rigoureux hiver de guerre. Rendu à la vie civile au bout de huit mois seulement, il passera de longues journées dans son atelier, 112 boulevard Malesherbes.

En 1916, le ministre des Beaux-Arts invite quelques peintres à visiter le front pour y saisir des images de guerre. Vuillard ira à Gérardmer et assistera à l'interrogatoire de prisonniers allemands. Il en rapportera des notes dont il fera un tableau exposé au musée de Vincennes, et quelques pastels de la campagne sous la neige. A son retour, pour un album de guerre édité par les Bernheim Jeune, il dessinera une lithographie intitulée *La Soupe populaire*.

Au cours d'une promenade à Versailles pour accompagner son amie Lucie Hessel qui s'occupe activement d'une œuvre d'assistance aux aveugles de guerre, il sera saisi par la beauté de la chapelle du château ; il en fera un des bijoux de la collection Laroche. Ses allées et venues entre la rue de Calais et la rue de Naples, où habitent ses amis Hessel, lui vaudront de fréquentes stations sous les voûtes du métro Villiers, ce qui lui permettra l'exécution d'un curieux grand panneau décoratif.

La grande tourmente passée, pour répondre aux sollicitations d'un de ses camarades de guerre, il entreprendra un grand ensemble décoratif. Il prendra les sujets au Musée du Louvre.

Gaston Bernheim, pour qui il a exécuté quelques années auparavant de grands panneaux dans sa villa « Bois Lurette » à Villers-sur-Mer, lui demande le portrait de sa fille Geneviève, que l'on peut admirer aujourd'hui au Musée d'Art moderne.

En 1919, Vuillard fera un chef-d'œuvre : c'est le portrait de la vieille Mme Kapferer, qui rivalise avec celui de Mme Vaquez.

Citons enfin, parmi les œuvres importantes de cette époque, le très beau portrait de Mme Frantz Jourdain et celui de Mme Val Synave.

Les scènes de théâtre vont de nouveau s'offrir à lui avec la famille Guitry. Il représentera d'abord Lucien Guitry debout en chapeau melon à l'avant-scène du théâtre Édouard-VII et, dans ce même théâtre, à l'occasion d'une reprise de *L'Illusionniste*, il exécutera plusieurs grands panneaux illustrant quelques aspects des coulisses avec Sacha et Yvonne Printemps.

Il poursuivra également ses portraits de médecin et de chirugien avec les docteurs Gosset, Parvu, Viau père et fils, qu'il représentera dans des scènes d'opération soit dans leur cabinet, soit à l'hôpital, dans de déconcertants conflits de lumière.

LA GRANDE ÉPOQUE

Nous voici donc entrés dans la grande période, celle qui est dominée par les grands portraits dans les intérieurs et où Vuillard va nous apparaître dans la pleine possession de ses moyens. Le travail qu'il va fournir pendant ces vingt dernières années est considérable. Si l'apanage du génie est l'abondance et la facilité, nous ne pouvons refuser ces qualités à Vuillard.

Entre 1920 et 1940, sans tenir compte des nombreuses petites scènes d'intérieur, des paysages, à la colle ou au pastel, ni des grandes décorations pour le théâtre de Chaillot et le Palais des Nations à Genève, Vuillard, ignoré du grand public, exécutera plus de quarante portraits dans le recueillement et le silence, ne suffisant pas aux demandes. Certaines de ces œuvres exigeront des mois, voire des années, et des quantités d'études. Voici, dans un ordre à peu près chronologique, les noms de ses modèles :

Yvonne Printemps, Mme Kapferer, M. Baignères, Mme Synave, Mme Bénard, Mme Georges Bénard, Mme Jane Renouardt, Mme Rosengart, M. Rosengart, Mme Hessel, Mme Marcel Kapferer, M. Marcel Kapferer, Mme P.-E. Weil et ses enfants, le ministre Loucheur, M. Philippe Berthelot, Mme Misia Natanson,

Mme Jane Lanvin, Mme Widmer, M. Widmer, Mme Jean Bloch et ses enfants, Mme Freyssinet, Mme Simone Berriau, M. Jean Giraudoux, Mme Faton, M. Jean Laroche, la comtesse de Noailles, la comtesse de Polignac, Mme Javal, le Dr Viau, Mme Henraux, Mme Jean-Arthur Fontaine, Mme Gillou avec sa fille, Mme Fenwick et Reynaldo Hahn, Mme Misia Sert et sa nièce, Thérèse Dorny, Mme Léopold Marchand, Forain, Elvire Popesco, Mme Jean Adam, M. Bénac, M. et Mme Bonn, Mme Gaboriau, M. Gaboriau, M. Malegary, K. X. Roussel, Bonnard, Maurice Denis, Maillol, M. Daber et sa fille, Mme Wertheimer (peinture à la colle).

Il est difficile à un profane de se faire une idée du labeur de Vuillard pendant cette période où il ne quitte pour ainsi dire la pièce où il travaille, place Vintimille, que pour aller se documenter chez ses modèles. Ses portraits à l'huile, qui sont une minorité dans l'œuvre que nous venons d'énumérer, semblent presque un délassement auprès des grands intérieurs à la colle. C'est ainsi qu'en 1924 le Dr Widmer, qui habitait la Suisse, se trouvant de passage à Paris pour une semaine, demande à Vuillard de faire son portrait. Le temps presse, mais Vuillard, pour le satisfaire, délaisse ses travaux en cours et, en quatre ou cinq séances, peint à l'huile, grandeur nature, un magnifique portrait d'une exécution achevée. Il reste encore trois jours avant le départ ; Mme Widmer viendra s'asseoir dans le même fauteuil encore tout chaud et le ménage repartira avec deux superbes portraits.

Ces étonnantes réussites ne laissent pas Vuillard satisfait ; il trouve l'« huile » une matière trop facile qui l'entraîne sans lui laisser le temps de méditer sur son ouvrage ; il semble se reprocher sa facilité.

En revanche, ses portraits à la détrempe comportent une documentation considérable en croquis et en pastels qu'il lui arrive d'offrir à son modèle ou qu'il conserve soigneusement avec le secret espoir de reprises. Cette occasion se présenta un jour, à la suite d'un accident survenu au portrait de Mme Kapferer reproduit dans ce livre, et dont je rapporte les circonstances. Vers la fin de sa vie, il renouvela cette expérience avec plusieurs tableaux qui repassèrent chez lui à l'occasion de ventes, tels les grands panneaux pour Claude Anet dont j'ai parlé, *La Meule*, avec M. et Mme Tristan Bernard, la *Chapelle du château de Versailles*, *Mme Hessel dans l'allée avec son chien.*

Pendant des semaines, nous verrons Vuillard se concentrer avec une patience de bénédictin sur ses grands ouvrages, puis, un beau matin, nous assistons à un brusque changement de décor : le tableau est retourné contre le mur, et apparaît sur les chevalets une éclosion de sujets nouveaux. Sur de grandes planches de contre-plaqué, il a piqué des papiers de couleurs et de dimensions diverses où déjà s'inscrivent de brillantes compositions. D'un court séjour à Vaucresson ou au château des Clayes chez Lucie Hessel, il a rapporté des croquis du grand bassin, du parc, d'un coin de table, de la terrasse avec ses amis à l'heure du thé, en somme sa moisson des jours précédents. Quelques traits au pastel, quelques touches à la colle posés d'un geste large et expressif suggèrent son sujet. Nous ne pouvons qualifier d'ébauches ces compositions qui, pour le profane, sembleraient inachevées alors que tout y est dit ; elles ont la spontanéité, la saveur et l'imprévu de ses notations sur nature et représentent peut-être, comme disait Roussel, la partie la plus étonnante de son œuvre, celle en tout cas où Vuillard nous apparaît comme une sorte de magicien. Elles nous éclairent, en outre, sur ses ouvrages « poussés » qui, en somme, ne sont, si l'on peut dire, qu'une succession d'ébauches superposées.

En effet, lorsque les circonstances le déterminent à une étude approfondie de son sujet, Vuillard dispose, grâce à ses nombreux croquis, de la plupart des éléments de son tableau, ce qui lui permet cette exécution fulgurante et de premier jet. Sa patience et sa volonté s'exerceront sur l'analyse de ces éléments, mais son exécution restera libre et l'on ne percevra, jusqu'à la fin, ni hésitation ni repentir. Le miracle est dans l'équilibre entre sa raison et sa sensibilité, équilibre qui lui permet de conserver, jusqu'à l'achèvement, la fraîcheur de sa première vision.

Par ses qualités, si admirablement fondues qu'aucune ne semble plus brillante que les autres, Vuillard atteint à cette unité de l'ensemble qui fait que se dégage de ses tableaux une invisible beauté.

A l'époque où Vuillard terminait le portrait de Mme Jane Lanvin, il invita Bonnard à venir voir son œuvre avant de la livrer. Je ne saurais répéter la conversation qu'eurent en ma présence les deux amis, mais je me souviens que Bonnard lança en riant : « Dites donc, Vuillard, vous faites de la joaillerie ! » Il est difficile de discerner la part de malice, si naturelle à Bonnard, qui entrait dans cette boutade. Vuillard, que je regardais, l'enregistra sans sourciller. Je connaissais la prestigieuse esquisse du tableau que Vuillard avait peinte sur papier bulle. L'envie me prit aussitôt de la mettre sous les yeux de Bonnard. Elle était contre le mur ; je demandai donc à Vuillard la permission de la dérouler. Il y consentit. Bonnard la déclara admirable et avoua qu'après une telle réussite il se serait senti incapable de retrouver l'élan de ses premières sensations.

C'est cependant en poursuivant jusqu'à l'extrême limite une sorte d'identité entre son ouvrage et la somme de ses sensations devant la nature, enfin par l'abondance dont il charge son œuvre, que Vuillard atteint à son style.

L'IMAGINATION DE VUILLARD

C'est toujours devant la nature que s'éveille l'imagination de Vuillard, et c'est toujours le sujet qu'il a sous les yeux qui détermine sa composition. C'est, en somme, un impressionniste d'intérieur s'efforçant vers le naturel et le vrai. Au demeurant, tout lui est prétexte, et les objets les plus insignifiants, les plus vulgaires, semblent se transformer sous son regard pour acquérir une incomparable distinction.

Ses sujets furent longtemps sa chambre, sa fenêtre, ce que l'on voit de sa fenêtre : cour ou jardin. C'est un aspect de la rue noté au hasard d'une promenade, ce sont les salons amis. Son carnet de croquis sans cesse à la main, il enregistre ses sensations et les aspects des endroits où il se trouve. Il ne chaussera pas de sabots pour aller peindre la neige, il la fixera de sa chambre en regardant au-dehors.

De même pour ses portraits : il surprendra ses modèles chez eux, au milieu de leurs habitudes familières. La chanteuse sera à son piano, l'homme d'affaires à sa table, une mère au milieu de ses enfants, les enfants à leurs jeux sans jamais rien d'apprêté ou de conventionnel.

Assis dans un coin quelconque de la pièce, sans bouger de son fauteuil, il compose de la façon la plus simple et souvent la plus inattendue. Avec un don remarquable d'assimilation, il fait sa toile en extrayant des replis de sa sensibilité sa conception personnelle du monde.

L'HOMME ET L'ARTISTE

Vuillard a gardé toute sa vie les marques de son origine modeste, et jamais il n'a perdu les goûts et les habitudes qu'il tenait de son milieu et de son éducation.

Si, dès le début de sa carrière, sa personne, sa sociabilité et son talent lui valurent de solides amitiés et de rapides encouragements, il vécut plusieurs années dans la gêne. Sans doute les premières commandes et les conventions passées avec les marchands lui apportèrent progressivement de l'aisance, mais ce n'est qu'après la guerre de 1914 que ses tableaux furent recherchés. Il n'en retira toutefois aucune fortune et, jusqu'à la fin de sa vie, il vécut pour ainsi dire au jour le jour, vendant souvent un tableau à la veille du terme.

Le souci dominant de Vuillard était d'aller au-devant des infortunes ; l'idée de la misère lui était insupportable. Je ne l'ai cependant jamais entendu se plaindre de sa jeunesse difficile ; au contraire, il déclarait que la nécessité avait été sa seconde mère et qu'il lui devait tout ; mais il savait aussi ce qu'un secours survenu à propos pouvait apporter à une détresse, et cela était sa constante préoccupation. La bonté et sa sœur l'indulgence étaient ce qui le caractérisait, et l'on ne sentait jamais la moindre aigreur dans ses propos, toujours empreints de compréhension.

Bien que ne pratiquant pas, Vuillard avait gardé l'empreinte de la formation chrétienne qu'il avait reçue dans sa jeunesse, et sa nature était profondément religieuse. Sans cesse en proie aux scrupules, il évitait de se prononcer à la légère. Un jour que je lui déclarais qu'il était un saint : « Assurément, me répondit-il en souriant, puisque les saints sont les êtres les plus effroyablement tourmentés. »

Dans son livre *Le Tourment de Dieu* (étapes d'un moine peintre), le Nabi Verkade évoque ses amis de jeunesse. Au sujet de Vuillard, avec lequel il échangeait des lettres, il s'exprime ainsi :

« Foncièrement français, dans le genre d'un saint François de Sales, à qui il ressemblait beaucoup, Vuillard était une nature toute de délicatesse et de tact. Il ne s'exprimait jamais de façon absolue par crainte de ne pas être vrai. Nous aimions tous ses propos spirituels et nous écoutions avec plaisir sa conversation qui faisait naître en nous toutes sortes d'idées nouvelles. »

Je voyais souvent sur la table de Vuillard l'*Histoire de Port-Royal* de Sainte-Beuve ou la *Vie de Rancé* et, dans les dernières années de sa vie, l'*Histoire littéraire du sentiment religieux en France* de l'abbé Bremond. Vuillard s'intéressait profondément à la vie de ces grands méditatifs consumés par l'amour divin. L'*Imitation de Jésus-Christ* était son livre de chevet.

Sans être un assidu des concerts, son goût pour la musique classique était des plus vifs, au point que je lui ai vu souvent le visage baigné de larmes après l'audition de certaines symphonies. Beethoven, Bach et surtout Mozart avaient sa préférence.

Physiquement et à première vue, Vuillard avait assez l'allure d'un petit-bourgeois. Sa mise était correcte et uniforme : complet sombre, cravate lavallière noire que dissimulait sa barbe, devenue très blanche avec les années. Il attendait que son vêtement fût à la dernière extrémité pour aller en acheter un autre, de préférence à « La Belle Jardinière » dont la succursale de la place Clichy était tout près de chez lui. Son abord, quoique généralement aimable et souriant, s'arrêtait le plus souvent à la poignée de main, réservant tout un fond de tendresse pour les siens et ses proches. Sa voix, plutôt grave et d'un beau timbre, se prêtait à d'infinies nuances.

Une singulière énergie se percevait derrière son regard légèrement voilé de tristesse et de gravité. Sous son épaisse moustache apparaissait, lorsqu'il parlait, une bouche rouge comme une cerise, découvrant dans le rire des dents très blanches. Il aimait le monde qui s'offrait à lui comme une récréation, mais il faisait toutefois peu d'efforts pour y paraître, sauf quand il se trouvait en société avec des femmes jolies ou agréables, se tenant systématiquement éloigné des conversations générales. Il ne parlait jamais de son propre travail ni de ses projets, mais il aimait s'étendre sur la peinture de Bonnard, de Laprade, sur la remarquable ordonnance des travaux de Maurice Denis, réservant la première place à Roussel qu'il admirait.

Il se gardait de critiquer les peintres contemporains, mais il manifestait toutefois un égal mépris pour le laisser-aller et la fausse conscience. Il ne souffrait pas le côté « lâché », et les recherches abstraites le laissaient indifférent. Cependant il visitait des expositions, s'intéressant aux jeunes, mais il se gardait de faire des compliments de complaisance et ses jugements étaient toujours très mesurés.

Il goûtait beaucoup l'histoire d'une visite de Henner à son ami Bartholomé. On sait que ce dernier cumulait, et comment de peintre il était devenu sculpteur sur les conseils de Degas. Devant ses imposants monuments aux morts, Henner ne tarissait pas d'éloges puis, apercevant dans un coin de l'atelier une petite peinture qui ne manquait pas de qualités, il l'examina attentivement et déclara avec sa finesse d'Alsacien : « Ça, ce n'est pas mal ! »

Il ne se passait pas de semaine que Vuillard ne se rendît au Louvre, et toujours dans le dessein bien arrêté d'aller méditer devant tel ou tel tableau. Un matin, il m'invita à l'y accompagner et nous nous rendîmes directement devant les scènes de la *Vie de saint Bruno* par Le Sueur qui étaient exposées, en ce temps-là, dans le haut de l'escalier qui, à droite, fait face à la Victoire de Samothrace. De là, il me conduisit devant la *Réunion d'artistes autour d'une table*. L'admiration que Vuillard professait pour Le Sueur était édifiante et il excellait à en donner les raisons. Puis ce fut le tour des délicieuses décorations de l'hôtel Lambert, nouvellement acquises. C'était une joie de voir et d'entendre Vuillard s'extasier devant les frais minois de ces Muses, si proches, disait-il, par leur air de « Parigotes », des modèles de Renoir. En nous en retournant, nous nous arrêtâmes devant les grandes peintures de Simon Vouet, dont Vuillard appréciait le grand style. Quant à Rigaud, il me cita le nombre, que j'ai oublié, mais impressionnant, des admirables portraits qui étaient sortis de son atelier au cours de sa très longue carrière.

Mais, quand on prononçait devant lui le nom de Rembrandt, il levait les bras au ciel pour exprimer son admiration. Un jour que nous étions arrêtés devant *La Famille du menuisier*, il me dit, avant de nous éloigner : « Lui aussi n'a peint que des Juifs ! »

J'ai retenu aussi son goût pour Prud'hon, mais c'est assurément pour Corot qu'il avait une tendre prédilection. Il s'élevait toutefois contre cette réputation de bonhomie dont on l'affublait, décelant au contraire dans son œuvre une suprême malice. Il citait alors la boutade de Degas prétendant que pour réussir un tableau il faut autant d'astuces que pour assassiner une concierge dans sa loge en plein midi boulevard des Batignolles.

Son admiration pour Puvis de Chavannes s'explique lorsqu'on se trouve au Panthéon devant les fresques si délicatement nuancées de la *Vie de sainte Geneviève* et dont aucune reproduction ne peut transmettre la sensation. Par deux fois vers 1930, malgré son peu de goût pour les déplacements, Vuillard fut pris d'un irrésistible désir d'aller méditer à Amiens devant le *Ludus pro Patria*. Et, en ces mêmes années, il retourna à Cuiseaux, autant pour retrouver les lieux de sa petite enfance que pour aller revoir la maison de Puvis et le devant de ferme qu'il avait décoré.

Pour de tout autres raisons, Vuillard admirait Renoir et, un jour que je lui opposais Cézanne, il me répondit : « Oui, c'est entendu, mais chez Renoir... il y a la grâce. » Sans donner, me semblait-il, à ce mot un sens religieux.

De ses premières rencontres avec la peinture de Cézanne, Vuillard m'a rapporté un intéressant souvenir qui dénote à quel point les peintres de sa génération se montrèrent souvent interdits à l'égard du maître d'Aix.

Un jour, vers 1890, Vuillard cheminait boulevard Saint-Germain avec Maurice Denis qui allait porter à la revue *Art et Critique* un article où il traitait de l'avenir de la jeune peinture et dans lequel il assignait à Gauguin et à Cézanne le rôle de guides. Ils rencontrent Signac sortant de chez lui. Ils s'entretiennent de Cézanne, et Signac invite les deux amis à monter pour admirer une nature morte de Cézanne qu'il vient d'acquérir. La visite terminée, arrivés au bas de l'escalier, Maurice Denis sort son article de sa serviette et, sous l'œil de Vuillard, il efface le nom de Cézanne pour ne laisser subsister que celui de Gauguin.

A titre de curiosité, rapprochons de ce fait cette lettre écrite par Maurice Denis à Vuillard en 1925 en sortant de l'hôtel Drouot : « Vous ai-je assez dit, mon cher Vuillard, toute la satisfaction que j'ai eue à voir vos ouvrages de la vente Gangnat, au milieu des Renoir ? Je l'ai dit à Bonnard, rencontré à l'exposition de la vente. C'est le contraste d'un art à la fois aussi sensible que celui de Renoir et infiniment plus volontaire — exactement plus intellectuel — qui était nouveau pour moi. Je n'avais jamais réalisé à ce point que, dans le recul des années, vos œuvres paraîtraient aussi empreintes de spiritualité et que, toutes qualités mises à part, elles s'apparenteraient plutôt aux miennes, par exemple, qu'à celles des impressionnistes. Ainsi j'ai perçu, qu'en cela comme en beaucoup de choses, nous étions plus près l'un de l'autre (et les uns des autres s'il est aussi question de Bonnard et de Roussel) que nous le pensons. Il n'y avait que Cézanne, celui du *Bouquet* et du *Bord de l'Oise*, qui s'accordât profondément avec vous. Renoir, auprès de Cézanne et de vous, n'était plus qu'un charmant barbouilleur, génial, c'est entendu, mais tout de même trop indifférent à la pensée qui est le tout de l'homme. Le plaisir de peindre, vous l'avez connu comme lui, avec, en plus, une inquiétude de l'intelligence qui fait le prix des grandes œuvres d'autrefois et qui, nous étant commune, nous rapproche de vous. Je juge cela très objectivement, sans partialité, ni système. Cela m'est entré tout droit dans l'œil et dans l'esprit. Et c'est donc une vraie joie que vous m'avez donnée et qui console de vieillir. »

Ses facultés d'observateur et de psychologue rapprochaient davantage Vuillard de Degas. Celui-ci fut le grand précurseur des scènes de la vie moderne, tant par le choix de ses sujets, pris sur le vif, que par ses audacieuses « mises en pages ». Le portrait de *M. Lepic et ses enfants*, par exemple, représenta sans nul doute une grande nouveauté et ne fut pas sans exercer sur Vuillard un grand attrait. Plus *peintre* que Degas, son imagination l'entraînait dans des subtilités de transposition et de coloration qui faisaient dire à son aîné : « D'une bouteille de chablis poussiéreuse, Vuillard fait un bouquet de pois de senteur ! »

Il y aurait un parallèle intéressant à établir entre Degas et Vuillard, tant au point de vue de leur caractère que de leurs rapports avec la société. L'un et l'autre ont su se garder de la curiosité du public et se sont peu mêlés aux manifestations de leurs contemporains. Dédaigneux de consécrations, ils ont travaillé pour s'accomplir, éloignant systématiquement tout ce qui pouvait les déranger dans leur travail, semblant affecter du mépris pour la publicité et les expositions. Une clientèle réduite, qui s'intéressait tant à l'homme qu'à l'artiste, suffisait à leur besoin de société. Tous deux, dans les milieux qu'ils fréquentaient, faisaient figure d'aristocrates, et leur art ne relevait que de leur conscience. A la misanthropie légendaire de Degas correspondait chez Vuillard une sorte de sérénité indulgente. Enfin il y avait chez tous deux le goût de la tradition et de la fréquentation assidue des musées.

L'ÉCOLE DES BEAUX-ARTS ET L'INSTITUT

En 1937, Vuillard est élu à l'Académie des Beaux-Arts. Page 188 de ce livre, en regard d'une étrange esquisse représentant *Une séance à l'Institut*, je raconte les circonstances qui ont amené Vuillard à s'écarter de la ligne qu'il avait toujours suivie et je donne les raisons qui l'ont mis dans la quasi-obligation d'accepter cet honneur.

Il n'était pas dans la nature de Vuillard de se soustraire aux obligations d'une fonction qu'il avait, en fin de compte, acceptée. Il fut donc assidu aux séances et s'intéressa aux travaux de l'assemblée.

Un rapport sur les envois des pensionnaires de l'Académie de France à Rome lui ayant été demandé, il en profita pour faire un exposé de ce qu'il pensait de cette institution. Les années écoulées n'ont rien ôté à l'actualité de ce rapport.

Après avoir constaté combien les œuvres exposées « décèlent peu de pensées, de préoccupations inspirées par le milieu si particulier, si étonnant où vivent les jeunes gens », il poursuit :

« Je sais trop l'importance, je connais trop la séduction, la vitalité de notre école française contemporaine pour m'étonner que ces jeunes gens en soient plus ou moins exclusivement hantés. Mais justement je tiendrais à leur dire que le goût, l'admiration qu'ils peuvent en avoir ne sont pas incompatibles avec l'étude de ces œuvres d'art extraordinaires au milieu desquelles il leur est permis de vivre quelque temps; je sais qu'elles peuvent les déconcerter dans leurs habitudes, leur sembler étrangères à leurs préoccupations actuelles. Eh bien, de cette nouveauté même, on serait heureux de voir quelque influence dans leurs travaux, qui prouverait l'intérêt qu'ils auraient pu prendre et montrerait enfin qu'ainsi ils auraient trouvé dans leur vie de pensionnaires à Rome un autre avantage que celui d'un moment de sécurité matérielle.

« Qu'on me permette d'ajouter, et cela peut-être aura une valeur à leurs yeux (venant d'un aîné dont les études se sont faites en toute liberté, c'est-à-dire à travers tous les hasards), que les plus grands, les plus indépendants parmi les novateurs modernes, sans même remonter bien loin, de Puvis de Chavannes à Manet, de Degas à Renoir, à Cézanne, tous ont eu le culte des maîtres italiens, les ont étudiés utilement, s'en sont nourris, chacun à sa façon, non avec le souci d'une vaine imitation superficielle, mais pratiquement, s'efforçant seulement d'en pénétrer les qualités vivantes, d'apprécier justement les moyens de leur prestige.

« J'aurais beaucoup à dire là-dessus, et qui étonnerait peut-être ces jeunes gens par certaines précisions; je leur conseille seulement d'y réfléchir et je tenais, avant de leur dire quelques mots sur leurs envois, à les mettre en garde contre des préventions, des idées fausses qui établissent des séparations arbitraires entre les œuvres d'art du passé et celles du présent, et empêchent de voir par quoi elles s'apparentent.

« Les maîtres, aussi bien modernes qu'anciens, sont complexes, difficiles à pénétrer; ils dissimulent sous une apparence brillante de légèreté, de laisser-aller, des qualités de volonté, de construction, de dessin. Ah ! surtout de dessin, ce mot qui prête à tant de confusions, plus ferme, plus décidé qu'il n'en a l'air (par exemple chez Renoir), car il ne s'exprime pas toujours par des moyens faciles à apprécier, mais procédant toujours d'un dessein très net dans l'esprit...

« L'étude des maîtres, des œuvres qui ne se trouvent qu'à Rome, les réflexions qu'ils peuvent être invités à faire, non pas seulement l'admiration enchantée, exaltée, mais l'exemple de ces travaux où la volonté et l'intelligence jouent un rôle aussi grand que la sensibilité, peuvent les amener à prendre assurance dans les ressources de leur art, dans leurs moyens et à les employer à des ouvrages plus complets, plus voulus, plus tranquilles. »

A ce rapport font suite quelques considérations générales adressées à l'Académie sur les conditions actuelles des études à la Villa Médicis, dont voici la conclusion.

« En somme tout cela représente du travail et de la bonne volonté. Mais cette bonne volonté semble s'évertuer un peu au hasard, sans direction volontaire, avec un résultat un peu confus. Et, à ce propos, je ne puis m'empêcher de vous soumettre une grave question qui me tourmente autant dans l'intérêt de ces jeunes gens que par un scrupule personnel que je dois à l'honneur que vous m'avez fait en m'accueillant parmi vous. Vous avez la haute direction de cette Ecole de Rome. Ne serait-il pas opportun de voir franchement ce qu'elle est et où elle en est ? Enfin si ses règlements sont adaptés aux facilités et aux nécessités actuelles ? Joue-t-elle un rôle aussi utile qu'on pourrait le souhaiter ? Nous ne sommes plus au temps où l'artiste apprenait son métier en apprenti auprès d'un maître; nous sommes tous plus ou moins des autodidactes, entourés d'exemples de toutes sortes et d'œuvres d'art dont la contemplation nous est accessible. Mais qui de nous n'a pas regretté qu'à certains moments un conseil utile ne nous ait pas été donné et ne nous ait épargné bien des errements. Eh bien, cette Ecole de Rome, qui devrait être une école de Culture supérieure, justifie-t-elle sa raison d'être ?... Pourquoi ces jeunes gens vont-ils à Rome s'ils ne pensent qu'à Paris ?... Il faudrait leur montrer qu'il y a toujours un parti à tirer de l'étude des maîtres ; que l'originalité n'a jamais été diminuée par l'étude ; qu'il n'y a pas de génération spontanée et qu'il ne s'agit pas de compromettre leur personnalité. Enfin, que les plus grands novateurs, idéalistes, réalistes, naturalistes ont trouvé leur excitant dans l'essai de compréhension d'un maître. »

Sollicité à différentes reprises d'accepter d'être professeur à l'Ecole des Beaux-Arts, Vuillard se récusa, alléguant ses travaux. En effet, en plus des portraits, deux grandes commandes venaient de lui échoir : une décoration monumentale pour le Palais des Nations à Genève : *Pax Musarum Nutrix*, et une autre pour le hall d'entrée du théâtre de Chaillot.

LA RÉTROSPECTIVE DU PAVILLON DE MARSAN EN 1938

L'Exposition de l'art indépendant au Petit Palais en 1937 avait permis au public d'admirer pour la première fois un important ensemble de tableaux de Vuillard groupés avec ceux de Bonnard dans une même grande salle. L'année suivante, ses amis et admirateurs conçurent le projet d'organiser au Pavillon de Marsan une grande rétrospective de son œuvre. Après bien des réticences, Vuillard finit par y consentir, à la condition qu'il ne s'en occuperait pas.

Cette manifestation présenta un caractère des plus imposants. Elle groupait en effet, dans un ordre chronologique, ses tout premiers essais, à commencer par les silhouettes de Coquelin cadet et par les petites natures mortes si objectives, d'une exécution qui les apparente à Chardin, puis ses scènes d'intérieur, des paysages, pour aboutir aux portraits qui occupaient trois grandes salles. Dans le hall étaient réunies une grande partie de ses compositions décoratives et ses lithographies.

La variété de cette œuvre et son abondance conféraient à l'ensemble un intérêt exceptionnel où chacun trouvait ses préférences ; mais il nous semble que les portraits en furent la grande révélation comme manifestant la plus haute forme de l'art.

Ces grandes œuvres nous apparurent en effet comme l'aboutissement logique de l'œuvre de Vuillard, comme les fruits étonnants de cette délicate floraison qui les avait précédés. Dans la quasi-ignorance de ces œuvres dont quelques-unes ne lui avaient été présentées qu'accidentellement, le public s'était davantage arrêté aux prémices. Quelques-uns de ces portraits, aperçus en de rares occasions, avaient quelque peu dérouté les amateurs par leur sévère exécution et l'exactitude qu'exige cet art éminemment difficile. C'est que, depuis longtemps, le portrait était devenu le privilège presque exclusif des peintres du Salon, où il s'était enlisé dans les pires formules de la mécanique et de la banalité, s'épuisant dans une sorte de course avec la photographie. Devenu suspect, ce genre avait été délaissé par les peintres dits « d'avant-garde » dont les recherches et la technique s'orientaient vers les exécutions rapides, en accord avec le siècle de la vitesse. Vuillard, lui, renouait, grâce à ses qualités maîtresses, avec la grande tradition dont peut-être le dernier exemple remontait au portrait de *Mme Charpentier et ses enfants* de Renoir.

ÉPILOGUE

A la déclaration de guerre, en septembre 1939, Vuillard est aux Clayes, chez ses amis Hessel. Tout son être est en révolte; sa famille, ses proches amis sont dispersés. La belle saison se prolongeant, il erre dans le parc et dessine; il médite dans la petite chambre qu'il occupe dans une aile du château. Il retourne de temps en temps place Vintimille, il reprend d'anciens tableaux. M. Daber lui demande le portrait de sa fille ; l'entreprise s'avérant difficile, vu la mobilité de l'enfant, il l'assiéra sur les genoux paternels et ce sera un double portrait. En même temps il entreprendra le portrait de Mme Wertheimer, qui sera sa dernière œuvre.

Le 21 mai 1940, le cœur de Vuillard se brise : Reynaud vient de prononcer son fameux discours où il déclare que la patrie est en danger et que seul un miracle peut la sauver. Vuillard veut croire à ce miracle et s'efforce de calmer la panique qui gagne son entourage. Ses amis Hessel décident de se replier à La Baule et insistent pour que Vuillard parte avec eux. Vuillard résiste, prétendant qu'il veut terminer le portrait qui est en train, mais il promet à ses amis de les rejoindre si la situation s'aggrave.

Le 2 juin, il se rend encore chez son modèle, mais il trouve porte close : Mme Wertheimer est partie précipitamment la veille sans avoir eu le temps de le prévenir. Le 3 juin, Paris est bombardé. Les malheurs de la France terrassent Vuillard et une forte douleur dans la poitrine le force à s'aliter. Roussel, accouru, est auprès de lui et appelle les docteurs. Ceux-ci le déclareront tout d'abord intransportable; puis, son état paraissant s'être légèrement amélioré, l'un d'eux décide de le déposer loin de Paris chez Mme Daber, qui lui a offert l'hospitalité dans la Sarthe. Vuillard, toujours très calme, s'en remet à lui. Il quitte Paris le 10 juin. A peine arrivé, les bombardements se rapprochent; un obus tombe dans une prairie, devant sa fenêtre, tuant une vache sous ses yeux. Son hôte décide de s'éloigner et téléphone aux Hessel d'envoyer leur voiture pour emmener Vuillard. Le dimanche 16, il arrive à La Baule. Toutes les cliniques étant occupées, on l'installe dans une chambre d'hôtel, au « Castel Marie-Louise ». Le 21 juin, au matin, il succombe à un œdème du poumon.

Dans l'année qui suivit la mort de Vuillard, M. et Mme K. X. Roussel firent don aux Musées nationaux de cinquante-cinq tableaux et études de l'artiste, qui furent exposés au Musée de l'Orangerie des Tuileries en novembre 1941.

Cet ensemble fut choisi par K. X. Roussel, assisté de son ami Maurice Denis. Sous le titre *Offrande*, en tête du catalogue de l'exposition, K. X. Roussel indique comment lui apparaît le message de Vuillard :

« L'œuvre d'Édouard Vuillard, riche des dons plastiques les plus rares accordés avec une intelligence toujours attentive à la vertu des moyens picturaux, apparaîtra sans doute, lorsqu'elle sera mieux connue, comme une des plus précieuses réussites de l'Art français pendant les années écoulées entre 1890 et 1940.

« Pendant cinquante ans, au courant des jours, l'œil du visionnaire toujours en fête devant le spectacle de la vie a accumulé (et oublié peut-être au fur et à mesure qu'il les créait) des ouvrages quasiment inconnus, dont l'ensemble constitue, même pour ses amis — n'est-ce pas, Maurice Denis ? — qui l'ont le mieux connu, une sorte de révélation... Et c'est là peut-être la partie essentielle de son message. Le temps apportera son jugement; mais cette œuvre, dès maintenant, doit appartenir à tous...

« Que la France veuille bien accepter ces extraits des ouvrages d'un de ses enfants et qu'elle les conserve pour les générations dont le destin s'élabore dans notre sévère présent en témoignage de la continuité féconde de son génie créateur. »

VUILLARD COIFFÉ D'UN CANOTIER *(vers 1888)*

Vuillard s'est souvent représenté, surtout dans sa jeunesse. Parmi plusieurs portraits qu'il a faits de lui autour de sa vingtième année, celui-ci me paraît un des plus ressemblants. Physiquement, sans doute, mais aussi moralement car on discerne déjà, dans ce tableau, une parfaite sincérité et le souci de ne pas séparer la forme de la couleur.

POMMES ET VERRE DE VIN *(1888)*

Sinon celle-ci, du moins quelques autres natures mortes très proches par l'exécution portent au dos de la toile un 88 de la plume de Vuillard. Il les a ainsi datées devant moi au moment où il a fait une révision de son œuvre, en 1938, en vue de la rétrospective du Pavillon de Marsan. Ces petites peintures témoignent de ses dons extraordinaires. Vuillard ne se pose pas encore de problèmes, il traduit fidèlement ce que son œil perçoit. Je tiens de Maurice Denis qu'à cette époque Vuillard recherchait les conseils de Rixens, grand médaillé du Salon, qu'il admirait, disait-il, pour la parfaite exécution de ses tableaux.

PORTRAIT DE Mme MICHAUD *(vers 1888)*

Vuillard m'a dit qu'il ne dessinait jamais lorsqu'il était enfant. Au lycée, il ne s'est jamais avisé de faire des portraits-charges de ses professeurs ; en classe de dessin, c'est son condisciple Lugné-Poe qui remportait le premier prix. On est surpris de voir que les dons de Vuillard se sont révélés en même temps que sa vocation. Ses premières académies d'école en témoignent, ainsi que ce remarquable portrait de sa grand-mère qui fut reçu au Salon des Artistes français. Après un échec, l'année suivante, Vuillard s'en tint là avec le Salon.

L'HEURE DU DINER *(1889)*

C'est, à ma connaissance, la première grande composition qu'a peinte Vuillard. Sa mère, à gauche, une allumette à la main, est penchée sur la lampe, posée sur la table servie. Près de sa tête, se découpe le bras de la suspension. Au centre, la grand-mère se silhouette en ombre chinoise devant le mur que dore la flamme d'une bougie. A droite, dans l'entrebâillement de la porte, Marie Vuillard tient, comme un drapeau, un grand pain. La tête d'Édouard apparaît derrière.

Déjà, Vuillard se montre attiré par les éclairages artificiels qui ne cesseront d'être un de ses plus constants sujets d'étude. Sans doute, la *Mort de saint Bruno* par Le Sueur, au Musée du Louvre, où la scène est éclairée aussi par une seule flamme, hantait déjà Vuillard, qui admira toujours ce peintre.

LA VISITE *(1890)*

Serait-ce par dépit d'avoir été refusé au Salon et pour rompre avec le conformisme académique que Vuillard, sans toutefois tomber dans la caricature, donne à ses personnages ces allures de marionnettes ? Cette petite scène nous révèle un humour sans amertume. En effet, Vuillard n'était pas moqueur, mais friand de cocasseries. Avec le temps, cet humour se transformera en fine ironie dont l'exquis échappera à l'entourage même de Vuillard, que son habituelle réserve rend insoupçonnable.

LES DÉBARDEURS *(vers 1890)*

Ce tableau témoigne incontestablement du trouble où se débattait Vuillard en ces années de transition, entre ses admirations du Salon, la révélation de la peinture impressionniste et néo-impressionniste et les préoccupations scientifiques qu'éveillaient en lui les récentes découvertes de Chevreul sur la lumière. La date que je donne à ce tableau correspond à peu près à l'année où mourait Seurat, dont il évoque la technique, moins stricte toutefois. Pour aider, si besoin, mon lecteur, je situe cette scène sur un quai fluvial. Des sacs sont prêts à être chargés sur la charrette à gauche ; on devine, à droite, le bord d'un tas de sable que surmonte la fumée, symboliquement indiquée, d'un remorqueur.

FEMME AU LIT *(vers 1891)*

Ce tableau, comme bien d'autres de cette époque dont nous montrons ici quelques exemples, n'était jamais sorti des armoires où Vuillard les conservait cachés, les considérant comme des exercices de jeunesse et des tentatives dont il avait vite abandonné la poursuite.

Après la mort de Vuillard, K. X. Roussel, en léguant à l'État un certain nombre de tableaux de son ami, choisis en accord avec Maurice Denis, ne prévoyait pas que ces œuvres de jeunesse provoqueraient dans le public d'aujourd'hui un si vif intérêt dû, sans doute, davantage à ce qu'ils ont de systématique qu'aux rapports de tons si particuliers à Vuillard.

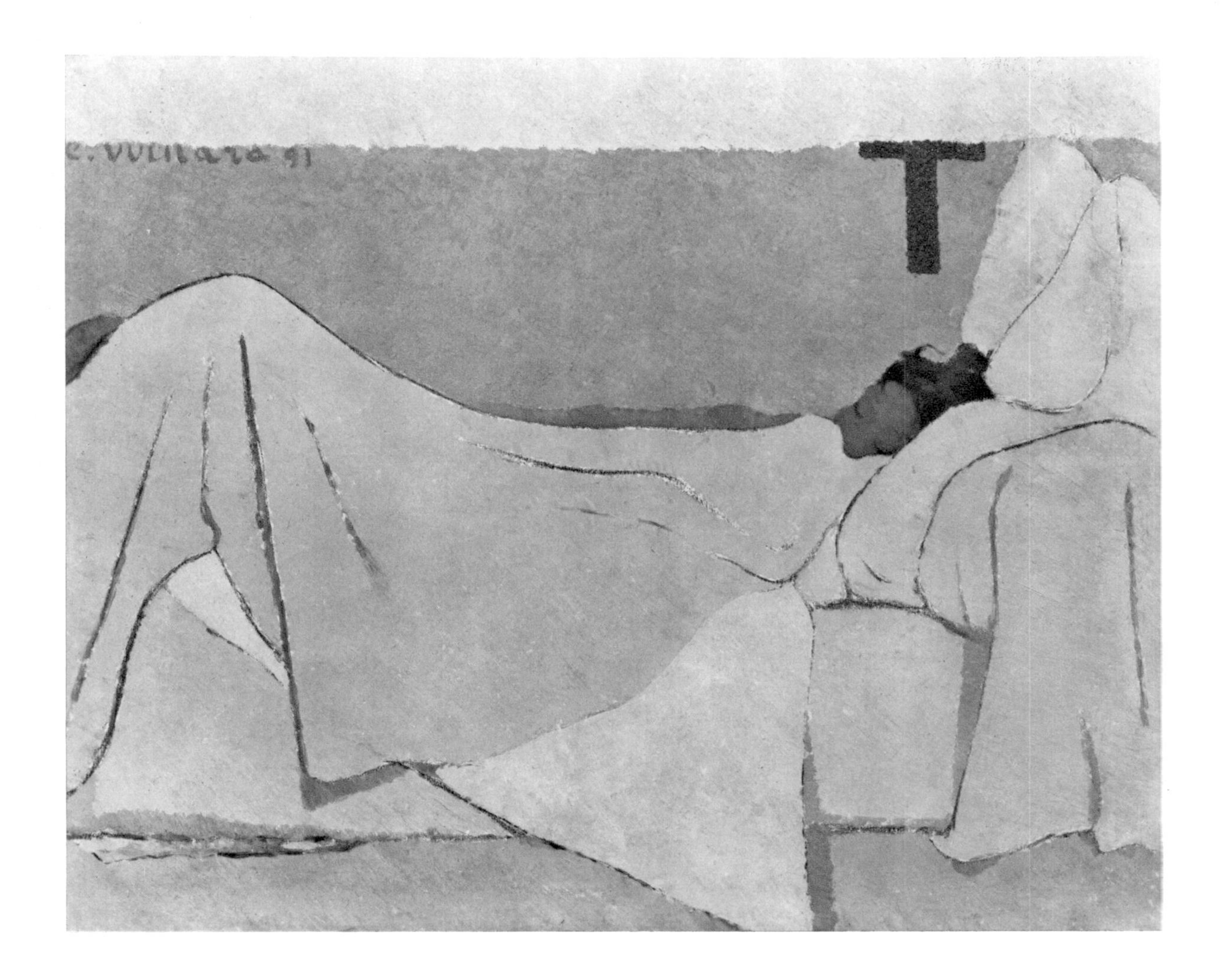

PORTRAIT DE VUILLARD PAR LUI-MÊME *(vers 1891)*

Ce portrait, considéré en son temps, représente un bel exemple des excentricités auxquelles s'excitait le groupe des Nabis depuis que Sérusier, retour de Pont-Aven, avait parlé à ses camarades de chez Julian de sa rencontre avec Gauguin en leur montrant le couvercle de boîte à cigares qu'il avait peint sous la dictée de ce dernier et sur lequel on distinguait — c'est Maurice Denis qui parle — « un paysage informe, à force d'être synthétiquement formulé, en violet, vermillon, vert véronèse et autres couleurs, telles qu'elles sortent du tube, presque sans mélange de blanc. " Comment voyez-vous cet arbre, avait dit Gauguin devant un coin du Bois d'Amour : il est bien vert ? Mettez donc du vert, le plus beau vert de votre palette; — et cette ombre, plutôt bleue ? Ne craignez pas de la peindre aussi bleue que possible. " Ainsi nous fut présenté, pour la première fois, sous une forme paradoxale, inoubliable, le fertile concept de la *surface plane recouverte de couleurs dans un certain ordre assemblées.* Ainsi nous connûmes que toute œuvre d'art était une transposition, une caricature, l'équivalent passionné d'une sensation reçue. » Je continue à citer Maurice Denis : « Dès lors, nous commençâmes à fréquenter des endroits très ignorés de notre patron Jules Lefèvre : l'entresol de la Maison Goupil sur le boulevard Montmartre, où Van Gogh, le frère du peintre, nous montra, en même temps que des Gauguin de la Martinique, des Vincent, des Monet et des Degas. »

Peu avant sa mort, je déjeunais, un jour, en tête à tête avec Maurice Denis dans un restaurant de la Rive gauche, tout heureux de pouvoir répondre aux questions qu'il me posait sur les procédés de travail de Vuillard. Et, comme, à son tour, il me racontait des souvenirs de leur jeunesse, au moment du dessert, je me permis de lui faire remarquer la lourde responsabilité qui lui incombait dans l'exploitation que l'on avait faite de sa célèbre formule. Il le reconnut volontiers, tout en déplorant les abus auxquels elle avait donné lieu mais qu'il n'avait pu prévoir !

Vu le peu de penchant que Vuillard avait pour l'outrance, on pourrait se demander si ce n'est pas par jeu qu'il s'est livré à cette sorte de gageure en surenchérissant aux recherches symbolistes de ses amis et où il semble par la barbe fauve — qui était sienne — provoquer ceux qui, dix ans plus tard, prendront cette couleur pour emblème.

Comme cela nous apparaîtra dans la suite, Vuillard ne tardera pas à se rendre compte que tout système échappe à la vie et condamne à mort ce dont il se réclame.

Ceci dit, si nous considérons cette peinture avec l'attention qu'elle mérite, nous découvrons, outre le parti pris dénoncé et cette subtile quoique outrancière recherche des couleurs complémentaires, une *expression ;* et pas seulement dans le regard qui est vivant, mais comme si un dessin sous-jacent se révélait progressivement à nous.

LE DINER VERT *(vers 1891)*

C'est la fin du dîner, rue de Miromesnil. Marie Vuillard, au centre, se contorsionne, sous le regard placide du lieutenant d'artillerie Alexandre Vuillard. La grand-mère Michaud et Mme Vuillard ont posé pour les autres personnages. « Œuvre très caractéristique, écrira Claude Roger-Marx, dans *Vuillard et son temps*, et moins par son outrance que par ce qui la tempère déjà : une grâce qui manquera toujours à Vallotton, une gravité étrangère à Bonnard, un amour pour les petites solennités profanes différant en tous points de Maurice Denis. »

LA DAME EN BLEU *(1890)*

Voici le salon de Paul Ranson. Une nature morte du Nabi Verkade, à gauche, et le bas du portrait du maître de céans en costume sacerdotal, par Sérusier, à droite, authentifient les lieux. C'est au 25 du boulevard du Montparnasse, dans l'ancien hôtel de Mme de Montespan, qu'habitait Paul Ranson. Sa femme, « la lumière du Temple », comme l'appelait Sérusier, se silhouette, étendue, dans le bas du tableau, entre une vieille dame et l'attrayante personne en robe bleue et à « l'exquis » chapeau, en visite. Dans ce salon avaient lieu les mondanités nabi et les représentations de guignol et de marionnettes, avec la musique de Claude Terrasse. Paul Ranson en était l'animateur incontesté.

LES DEUX PORTES *(vers 1891)*

Que de portes ouvertes dans les intérieurs de Vuillard ! Elles semblent ajouter paradoxalement du mystère à ces intimités où règne le silence.

Cette petite peinture nous offre une curieuse indication que tant de tableaux, par la suite, ne cesseront de nous confirmer : Vuillard ne semble-t-il pas vouloir se démontrer à lui-même que *le sujet c'est ce que l'on regarde*, que tout est motif pour le peintre et que n'existe réellement que ce que l'attention lui révèle ?

Vuillard habite 10 rue de Miromesnil ; nous sommes dans l'étroite entrée de cet appartement qui lui a inspiré tant de tableaux. On reste un peu interdit devant cette étrange perspective où tout semble se rapprocher de vous. Un curieux jeu de portes intrigue le spectateur; mettons que la plus proche, éclairée par la pièce de gauche, se rabat sur celle entrouverte de la salle à manger... Le respect des valeurs, le jeu des lumières (y compris le jour qui brille au-dessus de la porte) nous donnent à rêver sur ce sujet que Vuillard a fait sien.

LE PETIT LIVREUR *(vers 1892)*

J'imagine Vuillard montant l'escalier derrière le garçonnet que sa maman employait pour les courses. Celui-ci se retourne et Vuillard le *saisit* dans cette attitude si naturelle. Il en note aussitôt l'essentiel sur le petit carnet qu'il a toujours dans sa poche; sa mémoire fera le reste. Oubliant les théories, c'est en somme un retour à lui-même, à l'objectivité de ses débuts, à sa vraie nature.

Je me trouvais un soir chez Lucie Hessel pendant qu'elle posait pour Vuillard (voir son portrait p. 161), lorsque Jos Hessel, en rentrant, présenta à Vuillard cette petite peinture qu'on venait de lui proposer. J'entends encore le « Oh ! » de surprise de Vuillard et, sur un autre ton, attendri : « Le petit livreur ! » Le tableau n'était pas signé ; sur-le-champ, Vuillard l'authentifia avec le pinceau qu'il tenait à la main.

E.Vuillard

LE DÉSHABILLÉ OVALE *(vers 1891)*

Les Goncourt, en publiant *La Maison d'un artiste* et leurs études sur Hokusaï et Outamaro, ont contribué à répandre en France le goût des estampes japonaises. Ils ont assurément inspiré Gauguin et suscité les Nabis, réfractaires à la sensibilité impressionniste, rebutés, d'autre part, par l'académisme du Salon. La *Femme au lit*, p. 65, et le *Portrait octogonal* témoignent, avec le tableau ci-dessus, de ces recherches de synthèses auxquelles on se livrait à l'académie Julian.

LA COMÉDIE CLASSIQUE *(vers 1891)*

C'est au théâtre, et autour du théâtre, que le talent de Vuillard trouva tout d'abord à s'exercer. Un jour son ami Lugné-Poe, pendant ses années de Conservatoire, l'amena à la Comédie-Française et le présenta à son professeur Coquelin cadet, qui l'admit dans sa loge et se prêta à ce que Vuillard le dessinât. Il lui acheta plusieurs dessins et aquarelles qu'il lui payait vingt francs. Je tiens la chose de Vuillard lui-même, qui précisa que ce fut son premier client.

OUVRIÈRES AU CHIFFONNIER *(vers 1890)*

Voici un caractéristique rappel de ce que je signale à propos du *Déshabillé ovale* relativement à la perspective *japonisante* de Vuillard. Ici, il a surpris cette jeune apprentie au moment où elle se hausse pour fouiller dans le tiroir du chiffonnier. L'étrange ruban de lumière froide qui dessine sa silhouette et l'ombre que projette son pied sur le sol sont toutefois curieusement révélateurs de l'objectivité de Vuillard.

lisez
la
revue
blanche

lisez
la
revue
blanche

lisez
la
revue
blanche

le fevrier 1894
quatrieme soirée
de
l'œuvre
Au dessus des forces humaines
de
Bjornstjerne Bjornson
traduction de Mr Prozor
Clara
Hanna Roberts
Rachel
la veuve du pretre
Agathe Florwaghen
Mmes Marcelle Bailly
Keller
Bady
Grignier
Vignet
le pasteur Bratt
le pasteur Sang
le pasteur Falk
le pasteur Kroyer
l'évêque
Elie
le pasteur Blank
le pasteur Jensen
le pasteur Brey
Mr Rameau
Lugné-Poe
Depas
Dauvillier
Ravet
Grange
Froment
Chevalier
Conférence
de
Mr Vigné d'Octon
l'Araignée de Cristal
de Mme Rachilde
la mère Mlle Bady
l'épouvanté Mr Lugné-Poe
Salle des Bouffes du Nord
administration 23 rue Turgot

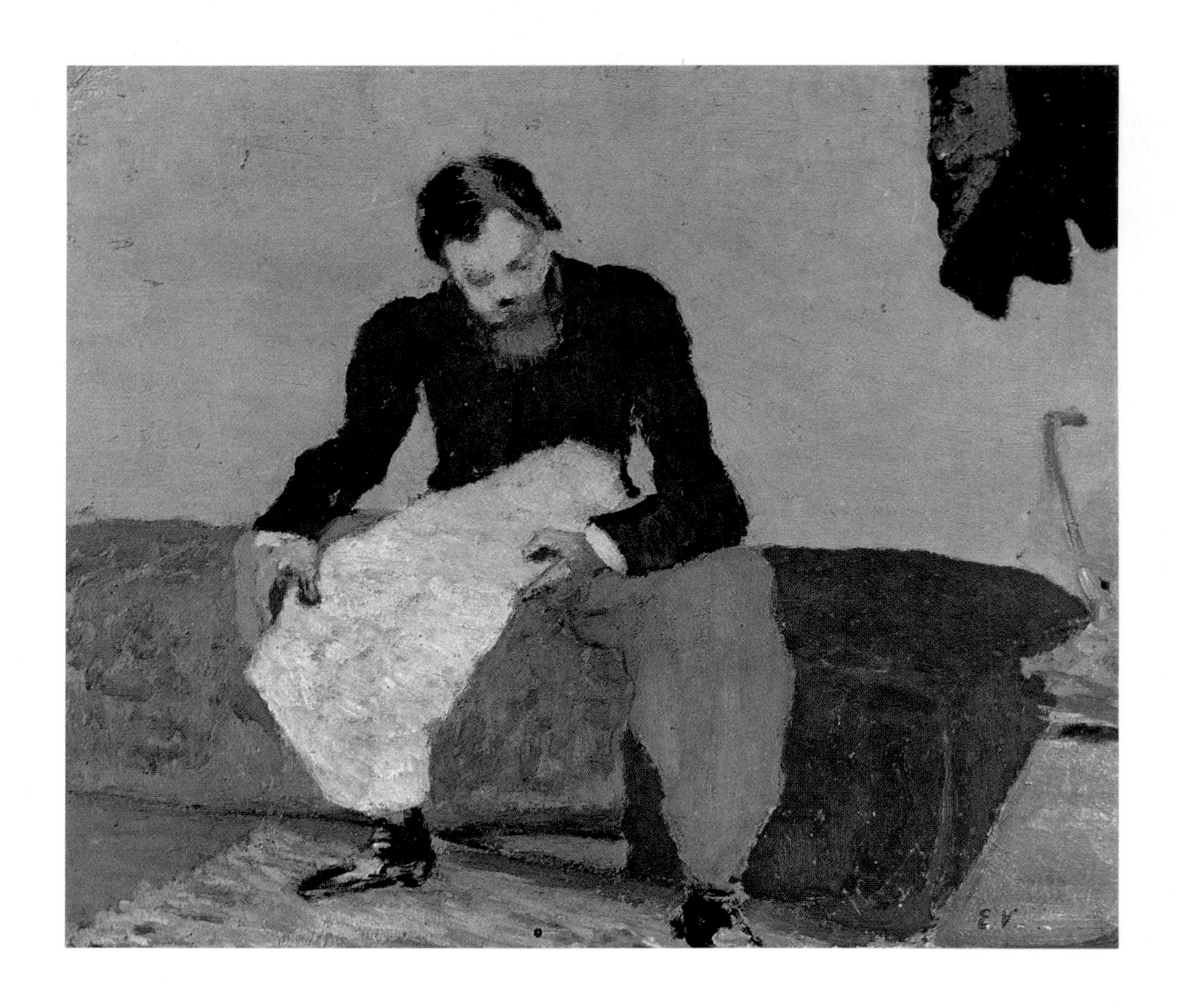

K. X. ROUSSEL LISANT LE JOURNAL *(vers 1894)*

Le coloriste n'est pas, comme la plupart le pensent, celui qui use et abuse de la couleur, mais celui qui, comme Corot, que Vuillard admirait tant, en saisit les rapports par intuition. C'est là le charme de Vuillard.

LA PORTE OUVERTE *(vers 1892)*

C'est dans le plus grand des angles que Vuillard embrasse tout ce qui est devant lui, depuis le sol jusqu'au plafond. Tout est à sa place et tout semble au même plan : triomphe de la peinture plate !

Il y avait trois frères Natanson. Alexandre, l'aîné, le fondateur de *La Revue blanche*, habitait un luxueux hôtel particulier, 60 avenue du Bois-de-Boulogne. En 1893, il invite le jeune Vuillard à décorer les murs de sa salle à manger, qui comporte neuf panneaux de plus de deux mètres de haut. Quelle aubaine pour un débutant !... mais aussi quelle épreuve... Vuillard, que j'ai souvent entendu déclarer que la nécessité avait été sa mère, ne va pas laisser échapper la chance qui s'offre à lui : il se tourne vers ses admirations.

Comme il s'agit de peindre sur des murs, il interroge tout naturellement Puvis de Chavannes. Souvent Vuillard a médité devant les scènes de la *Vie de sainte Geneviève* au Panthéon; il connaît, par des reproductions, les fresques de « Garde-Robe » au palais des Papes à Avignon; il rend souvent visite à *La Dame à la licorne* au musée de Cluny, et *Les Chasses de Maximilien*, au Louvre, sont un de ses sujets de prédilection. Voici les sources où va se purifier notre jeune décorateur à peine âgé de vingt-cinq ans.

En 1893, la famille Vuillard habite rue Saint-Honoré, juste en face de la courte rue d'Alger qui débouche sur le jardin des Tuileries. C'est là que ses modèles attendent notre peintre.

Ces trois dames conversant, assises contre la dentelle de cette étrange barrière, sont, par la cocasserie de leurs attitudes, proches parentes de celles de *La Visite* (p. 63). Sans doute, celles-ci manifestent-elles davantage, et Vuillard nous invite à leur sourire. Quelle vérité dans leurs attitudes ! Vuillard n'a pas inventé la main dégantée de la discoureuse, ni l'expression stupide de sa voisine. Tout se plie à la fantaisie du peintre, à commencer par le soleil qu'il répand largement sur le sol à des fins décoratives ; en revanche, il l'écarte avec désinvolture de l'ombrelle qui ne fait que semblant de protéger de ses rayons l'enfant endormi et qui ne figure que pour l'agrément du tableau.

Au sujet de ces panneaux, je vais rapporter une anecdote qui m'a révélé ce qu'exigeait Vuillard d'une peinture murale. Un jeune peintre de ses amis qui venait d'exécuter une décoration mais qui n'avait pu être présent à l'inauguration de son œuvre, demanda le soir même à Vuillard, qui y avait assisté, ce qu'il en pensait. Vuillard lui fit part de son impression favorable en ajoutant, non sans humour, que la plupart des invités, tout occupés à bavarder, n'avaient que peu regardé les murs... ce dont Vuillard le complimenta en spécifiant que la principale qualité d'une décoration murale consistait à ne pas s'imposer et à se maintenir dans cet « air irrespirable » qui, comme disait Degas, est celui de toute bonne peinture.

LE PRÉTENDANT *(1893)*

Depuis quelques années, Roussel a trouvé un foyer dans la famille Vuillard, et Marie s'est éprise de l'ami de son frère. Cette scène revêt un caractère idyllique du fait qu'elle est datée de l'année même de leur mariage. L'écriture de ce tableau donne à penser que Vuillard se préoccupe déjà d'un « style » en vue des grandes décorations que lui a commandées Alexandre Natanson.

LE GRENIER DE LA GRANGETTE *(1896)*

« La Grangette » était la petite maison de Valvins où villégiaturaient Thadée Natanson et sa jeune femme Misia. Dès la belle saison, ils s'y installaient et y recevaient leurs amis ; Vuillard et Bonnard en étaient les habitués préférés.

Sur le croquis, on distingue, à gauche, le piano de Misia. C'est là qu'elle enchantait ses visiteurs, et particulièrement leur proche voisin Mallarmé, en leur jouant du Beethoven et du Schubert; et assurément aussi du Debussy, dont la Société des Concerts venait de révéler au public le *Prélude à l'Après-midi d'un faune*. Tandis que dans le croquis Thadée écrit, penché sur sa table, dans la petite peinture il est debout, conversant avec Elémir Bourges devant le poêle de faïence curieusement éclairé. Misia est assise au premier plan à gauche. Au-dessus de la porte, elle est représentée sur l'affiche que Toulouse-Lautrec vient de peindre pour *La Revue blanche*.

QUATRE PANNEAUX DÉCORATIFS PEINTS POUR LE Dr VAQUEZ *(1896)*

Le Dr Vaquez fut un des premiers et des plus fervents amateurs de Vuillard. C'est ainsi que son appartement, 27 rue du Général-Foy, m'apparut, lorsque j'y pénétrai en 1921, comme un véritable petit musée Vuillard. Ces panneaux, tels qu'ils sont présentés aujourd'hui dans les vastes salles du Petit Palais à qui le Dr Vaquez les a légués, ont hélas ! perdu le caractère d'intimité que leur conférait la pièce pour laquelle Vuillard les avait peints où, comme d'étranges miroirs, ils reflétaient les murs mêmes qu'ils décoraient. Outre cet ensemble, on pouvait admirer, rue du Général-Foy, les grandes « places Saint-Augustin », divers aspects de la place Vintimille, le portrait du Dr Vaquez à l'hôpital, celui de Mme Vaquez, aujourd'hui au Musée d'Art moderne, et bien d'autres tableaux de petites et moyennes dimensions.

Ici, nous sommes encore dans un univers clos, sans profondeur, un monde où règne le silence, où l'air est aussi rare que dans un acte de Maeterlinck. Les meubles, les étoffes, les bouquets, les personnages n'ont pas davantage d'importance que les fleurettes du papier qui tapisse les murs. Chaque élément est réduit à sa synthèse et soumis à la discipline symboliste. Le goût exquis de Vuillard sauve ces œuvres de la sécheresse et de la monotonie où tendent fatalement celles qui obéissent à un système. Vu l'impersonnalité de l'écriture, on serait tenté de regretter que ces ravissants ouvrages n'aient pas été traduits en tapisserie... ce à quoi Vuillard a certainement pensé.

Et, comme dans *La Porte ouverte*, à la page 58, on se retrouve devant ce grand angle de vision si constant dans les scènes d'intérieur.

INTÉRIEUR AUX TENTURES ROSES

LA PATISSERIE *(1898)*

C'est à l'instigation de Vollard que Vuillard, Bonnard et Roussel composèrent, en 1898, des albums de douze lithographies en couleur d'une audacieuse conception qui sont aujourd'hui si recherchées des amateurs.

TISSERIE

LA MAISON DE MALLARMÉ A VALVINS *(1896)*

Elle existe toujours, facilement reconnaissable sous cet aspect, lorsqu'on vient de la forêt, après avoir passé le pont, à gauche. L'escalier extérieur que l'on distingue derrière le portail aboutissait à la chambre de Mallarmé, qui donnait sur la Seine.

C'est surtout à Valvins, chez ses amis Natanson, que Vuillard fréquentait Mallarmé, qu'il admirait.

MISIA ET VALLOTTON *(vers 1896)*

Son charme, son esprit et son goût pour les arts valaient à Misia l'admiration et la confiance de ses amis peintres.

Mme VUILLARD TENANT UN BOL *(1897)*

Ce petit tableau est un des plus émouvants qu'ait peints Vuillard, qui, d'emblée, nous fait véritablement pénétrer dans la plus stricte intimité de sa vie quotidienne en nous révélant son propre sentiment.

Rien d'apprêté dans cette présentation de Mme Vuillard prenant son petit déjeuner. Son regard paisible semble communiquer du silence à la pièce où elle se tient; un je ne sais quoi flotte dans l'air qui ferait penser à une Annonciation ; c'est comme si une mystérieuse présence s'était glissée ce matin-là dans cette modeste salle à manger du quartier des Batignolles. Saisissant l'instant et toujours comme s'il improvisait, Vuillard, tout entier à ce qu'il regarde, laisse libre cours à son sentiment.

Lorsque Mme Vuillard se sera levée et avant qu'elle ne débarrasse la table, Vuillard reviendra sur l'assiette et le couteau à manche d'ivoire qu'il a seulement indiqués et s'appliquera au papier du mur. Il se souviendra que l'ombre, dans le peignoir, était moins foncée; il l'allégera en grattant la peinture toute fraîche avec le manche du pinceau dont il se sera servi pour éclairer les moulures des portes.

PORTRAIT DE LAUTREC *(vers 1897)*

MISIA AU PIANO ET SON FRÈRE CIPA GODEBSKI L'ÉCOUTANT *(vers 1897)*

Très jeune, Misia étudiait le piano avec Gabriel Fauré, qui voyait en elle une virtuose-née. Lorsqu'elle annonça à son professeur qu'elle allait épouser Thadée Natanson, Fauré fondit en larmes et la supplia de renoncer à ce mariage qui allait ruiner son avenir musical. Si elle ne fit pas, à proprement parler, une carrière, elle connut toutefois quelques grands succès au concert et contribua grandement à l'éclat des ballets russes.

Cipa, également très bon musicien, était l'ami de Maurice Ravel, qui composa les contes de *Ma Mère l'Oye* pour ses deux enfants. La fille, Mimi Godebska, est représentée avec sa tante dans le tableau *Les Tasses noires*, p. 147.

LE SALON AUX TROIS LAMPES *(1899)*

Nous sommes à Paris, rue Saint-Florentin, chez les Thadée Natanson, dont l'appartement était, comme l'a écrit Misia, une annexe de *La Revue blanche*. Au centre, on reconnaît Romain Coolus.

PORTRAIT DE MISIA NATANSON *(vers 1898)*

Je n'ai fait qu'entrevoir ce portrait il y a plus de vingt ans, et il m'a fait une telle impression qu'il me reste toujours présent sans que l'image photographique ait altéré la fraîcheur de cette rencontre.

Comme ce visage a été ardemment regardé par Vuillard... et dans quel silence!

Ce portrait est un aveu d'une rare sincérité attestée par le dessin des traits qui ne trahit aucune complaisance à l'égard du modèle dont le regard semble rejoindre, dans l'infini, celui du peintre.

J'avais ressenti tout cela confusément avant que Misia nous ait révélé dans le récit de sa vie qu'un soir, à la tombée du jour, à Villeneuve-sur-Yonne, elle a reçu de Vuillard la plus belle déclaration d'amour qu'un homme lui ait jamais faite.

DEVANT LA MAISON
DANS LE JARDIN *(1898)*

Ces deux panneaux ont été peints pour Claude Anet. Celui-ci, romancier de talent, avait beaucoup voyagé. Il avait acquis une réputation qui lui avait donné accès à ce qu'il se plaisait à appeler le « Grand Monde », ce dont le plaisantait Misia. Il aimait la peinture et recherchait la compagnie des peintres. Roussel, Bonnard, Vuillard et Maurice Denis étaient ceux dont il collectionnait les œuvres.

Ces deux panneaux sont pour moi les chefs-d'œuvre de la peinture décorative de notre temps. Ils représentent les abords de la maison des Thadée Natanson à Villeneuve-sur-Yonne. Sur le panneau de gauche, on reconnaît Bonnard s'asseyant sur un petit pliant près de Marthe, sa femme, lisant un journal; dans l'autre, c'est Misia, rêvant, allongée sur un rocking-chair, les pieds perdus dans les herbes. Vuillard est ici dans le plein épanouissement de son talent. Dégagé des influences auxquelles il s'est prêté jusqu'ici pour résoudre les problèmes que lui posait l'exécution de panneaux de grandes dimensions, il se rapproche progressivement de la nature, c'est-à-dire de la vision plus directe des choses, tout en en disciplinant les éléments afin que ses peintures présentent l'aspect plat d'une tapisserie.

CIPA A LA PIPE *(vers 1897)*

En 1898, Maurice Denis est à Rome. Il écrit à Vuillard qu'il commence à comprendre Raphaël et ajoute que c'est là une étape notable dans la vie d'un peintre. Il ressort de ses réflexions qu'on a tort de demander à l'œuvre d'art un plaisir immédiat. « Ce qui fait l'importance d'une œuvre d'art, écrit-il, c'est la plénitude et l'effort de l'artiste, c'est la puissance de sa volonté. »

Vuillard lui rétorque : « Quand j'ai le bonheur de faire quoi que ce soit, c'est que j'ai en moi une idée en qui j'ai foi. Je suis *sûr* qu'elle a une valeur. » Et plus loin : « Je n'ai de guide que mon instinct, le plaisir ou plutôt la satisfaction trouvée. »

Maurice Denis est donc bien obligé de constater que son ami reste réfractaire à toutes les théories, préconçues ou habituelles; il conclut dans sa réponse : « Cette confiance en l'instinct, qui ne vous trompe pas d'ailleurs et qui provient d'une surabondance de dons naturels, cela s'appelle le sensualisme. »

Les occasions ne nous manqueront pas de vérifier jusqu'à quelles limites de la « gourmandise » s'exercera la sensualité de Vuillard, si justement discernée par Maurice Denis.

M. ET Mme ARTHUR FONTAINE *(1902)*

C'est vers 1900 que Maurice Denis a présenté Vuillard à Arthur Fontaine. Arthur Fontaine est un industriel. Il s'intéresse activement aux questions sociales, il est membre du Bureau international du travail. Sa culture, son goût le portent à fré-

quenter des artistes. Sa femme est bonne musicienne. Ils reçoivent intimement chez eux, 2 avenue de Villars, Claudel, Gide, Francis Jammes, Claude Debussy. Le peintre Lerolle et Ernest Chausson sont les beaux-frères de Mme Fontaine. Vuillard est l'hôte familier, l'ami et le peintre de la famille.

LA FAMILLE ROUSSEL A TABLE *(1899)*

Quel plus bel usage de son talent peut faire un peintre que d'exprimer avec tendresse et simplicité sa vie de tous les jours ! Ce tableau était le chef-d'œuvre de la collection Hessel. Il était goûté autant des passants que des fervents, tant il a de charme.

Ce que nous avons appris jusqu'ici de Vuillard — et c'est en composant ce livre que j'ai appris, moi-même, à le mieux connaître — nous invite à nous associer aux sentiments que cette scène devait lui inspirer. En effet, tout ce qu'il aime est là sous son regard, et l'écho nous en parvient si simplement...

LA VEUVE EN VISITE *(vers 1899)*

Dans le salon de Mme Vuillard, nous reconnaissons le miroir ovale, le casier à musique dont l'ombre sur le mur est si spirituellement indiquée, le piano, le pied de la table à ouvrage que nous retrouvons dans tant de tableaux, mais nous reconnaissons moins bien la mère et la sœur de l'artiste, comme si Vuillard, en glissant sur leur ressemblance, voulait leur épargner de prendre conscience de l'intérêt simulé qu'elles témoignent au récit de la dame en deuil.

LA LOGE *(vers 1902)*

Ce pastel a la légèreté d'un souvenir de théâtre que Vuillard semble avoir fixé juste avant qu'il ne s'évanouisse !

M. ET Mme HESSEL DANS LEUR SALON *(vers 1900)*

Les murs de l'appartement de la rue de Rivoli qu'habitait Jos Hessel, employé en ce temps-là dans la maison Bernheim, témoignent que ce futur grand marchand de tableaux a déjà commencé sa célèbre collection.

LA FAMILLE *(1902)*

En 1899, le ménage Roussel a élu domicile à L'Étang-la-Ville, dans la partie du village dite « La Montagne ». Il occupe une petite maison, ruelle de la Coulette. Bonnard, Ranson, Maurice Denis, Vollard et Vuillard sont les fidèles habitués du dimanche.

Mme Vuillard, relevant comiquement la tête, semble présider cette réunion tout intime avec Marie Roussel et Annette, le ménage d'Alexandre l'artilleur et K. X. Roussel, assis à droite. Toute la tendresse que Vuillard porte à ces êtres se dissimule pudiquement derrière son sourire amusé.

Cette petite scène de famille, traitée théâtralement en pochade, souligne ce que je dis sur l'humour de Vuillard à propos de *La Visite*, p. 43. Cet humour, tout exempt de malice, s'alliait curieusement avec le personnage sérieux et intimidant qu'était Vuillard. Ce n'est peut-être pas sans raison que ce tableau n'a jamais quitté le mur de la pièce de travail, face au moulage de la Vénus de Milo sur la cheminée.

LA SOUPE D'ANNETTE *(1900)*

Quelle adorable scène, si simple dans son humanité et dont le sujet si tentant s'est offert à tant de peintres ! Par quel don merveilleux Vuillard a-t-il exprimé l'éternité de ces rapports de la grand-mère avec sa petite-fille bien sage ! Est-ce par la composition, le dessin, la couleur, la vérité des attitudes que Vuillard parvient à rendre ce tableau si charmant ? Il existe incontestablement une secrète harmonie entre les authentiques sentiments qui animent les trois acteurs de cette scène et les nuances par lesquelles ils se manifestent à nous. Ici, on perçoit encore l'influence des estampes japonaises : le fauteuil semé de roses où Annette est assise, sa robe, sa serviette, le corsage de Mme Vuillard, son tablier, le paravent, le bandeau d'étoffe de la cheminée, le divan à droite, le papier qui tapisse les murs, tout chante et se répond dans un savant jeu d'arabesques. Et, dans tout ce chatoiement, brille le blanc — que rosit un soupçon de laque — de la cuiller d'argent, consciente de son rôle, et qui fait penser à un petit joyau.

DE LA FENÊTRE, 23 RUE DE LA TOUR *(vers 1904)*

« ...des fenêtres que je n'aurais pas osé espérer, un espace découvert occupé par des fleuristes et des serres et bordé au loin par des grands arbres... »

ANNETTE A LA CHAISE CASSÉE *(vers 1903)*

Ce tableau est un de ces bijoux dont Vuillard a le secret. Quoi de plus banal, de plus prosaïque, de plus dépouillé que cette chambre où il nous attire ! Pourquoi sommes-nous arrêtés et comme charmés par l'insolite absence de dossier de cette chaise ?... Le mystère est-il là ? Assurément non. Que chacun s'interroge ; il est dans notre rencontre avec Vuillard.

Mme VUILLARD REMPLISSANT UNE CARAFE *(vers 1904)*

L'expression du visage est charmante. On devine que Vuillard, ayant surpris sa mère dans cette attitude, lui a demandé de rester un moment ainsi. En fait, elle pose; mais cela n'apparaît guère, tellement c'est simple !... et si on le déduit du sourire de Mme Vuillard, cela ajoute encore du charme.

Mme HESSEL RUE DE RIVOLI *(1903)*

C'est assurément sans étude préalable et directement sur nature que Vuillard a saisi, composé et peint cette scène aux mille nuances où chaque détail joue son rôle... jusqu'au blanc de la poignée de faïence du tiroir de la salamandre et au coin relevé de la carpette! Un meuble, à droite (c'est une toilette), équilibre la scène. Tout semble n'avoir attendu que l'arrivée de Vuillard pour devenir tableau.

E. Vuillard

Mme VUILLARD LISANT LE JOURNAL, RUE TRUFFAUT *(vers 1900)*

Tous les éléments de ce petit tableau, chacun dans son caractère particulier et très exactement mis à sa place, sont comme sertis et mis en valeur sans souci de perspective. L'évangile nabi reste apparent... mais l'esprit de Vuillard humanise progressivement sa peinture.

ROUSSEL ET ANNETTE *(vers 1904)*

Je découvris ce tableau chez le Dr Vaquez en 1921. Ce fut un des plus grands bonheurs qu'il m'ait été donné d'éprouver devant une peinture. Par la résonance qu'il éveilla au plus profond de moi-même, ce tableau décida de mon engagement à l'égard de Vuillard, dont, jusque-là, je connaissais très peu d'œuvres. Sans doute, en faisant une large part au sujet, j'entrais, j'étais déjà dans ses sentiments, et sa façon de s'exprimer portait ma joie à son comble.

JACQUES ROUSSEL SUR LES GENOUX DE Mme VUILLARD *(1904)*

Ici, comme dans *La Soupe d'Annette* (p. 90), nous voyons que Mme Vuillard ne renonçait jamais à son rôle de grand-mère.

L'intimité est le domaine de Vuillard, et son horizon sentimental semble se limiter à ses proches. C'est dans ces spectacles quotidiens qu'il trouve sa principale source d'inspiration qui ne cesse de se renouveler.

Et, puisqu'il était là, Vuillard n'a pas cru devoir écarter de la scène cet ustensile familier oublié derrière le fauteuil... et qui fait sourire. Francis Jourdain, qui a longtemps vécu devant ce tableau, aimait répéter qu'il évoquait pour lui un vol de pintades.

LE SALON A LA MONTAGNE *(1903)*

Ce tableau est peint tout à fait comme un paysage impressionniste : la lumière et ses reflets en sont le sujet. Une glace occupe le centre de la composition et enferme dans son cadre la partie lumineuse du tableau : le brillant du plafond et du mur rose, directement éclairés, et l'accent très blanc d'un petit plâtre avivé de son ombre. A gauche, deux silhouettes de femmes se détachent sur le mur, tapissé de vert, qui reflète sa lumière sur le parquet. Devant, dans un jeu de chaises brunes en bois courbé, se devinent les deux enfants Roussel. Au premier plan, un coin de cheminée aux tons froids qu'harmonise le rose d'une draperie étalée sur le dessus. A droite, un voile de Gênes, largement esquissé, drape le piano.

LUCIE HESSEL DEVANT LA MER *(vers 1904)*

Cette petite peinture est comme un cri du cœur dont l'écho me ravissait lorsque je l'admirais sur la cheminée de Lucie Hessel, tant la touche est vivante, alerte, entièrement soumise au rythme du sentiment de Vuillard.

PORTRAIT DE VUILLARD PAR LUI-MÊME *(vers 1905)*

L'expression du regard ne dément pas ce que Thadée Natanson écrira plus tard sur son ami dans *Peints à leur tour*, en faisant allusion à sa barbe rousse : « Tout ce feu, il ne pouvait le taire comme ses sentiments, qui brûlaient peut-être davantage mais secrètement. »

Tout Vuillard est dans ce tableau, où, dans un éclairage inhabituel pour un portrait, s'entremêlent et se nuancent si singulièrement les demi-teintes et les lumières.

Les initiés ne manqueront pas d'être surpris si on leur dit que ce portrait a été peint d'un *jet* et à la colle, dont j'expliquerai plus loin la pratique aux profanes.

LE LIT-CAGE *(vers 1900)*

Imaginons ce que pouvait représenter, en 1900, pour un public dont l'éducation était tout académique, un tel spectacle où ce qu'il nommait l'indécence était curieusement confondu avec la chasteté ! Quel problème familial cela posait sur un mur !

LE MODÈLE SE DÉSHABILLANT *(vers 1905)*

En 1904, Vuillard et sa mère délaissent le quartier des Batignolles et vont s'installer rue de La Tour. Les grands immeubles de l'avenue Henri-Martin ne sont pas encore construits, aussi, de leurs fenêtres, la vue s'étend jusqu'au square Lamartine et l'avenue Victor-Hugo. Vuillard se montre dans la joie d'avoir quitté ces cours obscures et mal aérées dans lesquelles il a vécu jusqu'ici. Il l'écrit à son ami Thadée Natanson : « ... des fenêtres que je n'aurais pas osé espérer, un espace découvert occupé par des fleuristes et des serres et bordé au loin par des grands arbres... ».

Ce tableau si lumineux a une telle fraîcheur qu'il semble refléter l'heureux effet de ce déplacement.

Sur la cheminée, la petite Léda de Maillol que l'on retrouve dans bien des tableaux.

ANNETTE AUX BIGOUDIS *(1906)*

Avec son sens inné de l'à-propos, Vuillard n'outrepasse pas les limites de sa première vision, il nous en offre la fraîcheur et nous livre ainsi le secret de son cœur.

PORTRAIT D'ALEXANDRE VUILLARD *(vers 1905)*

Sur quelque sujet que ce soit, Vuillard s'exprimait toujours, avec prudence sans doute, mais sans ambiguïté ; il avait l'esprit clair et allait droit au but : il avait le langage de l'évidence. De même, lorsqu'il peint, il transpose directement sur sa toile ce

qu'il regarde, s'identifiant directement avec son sujet. Sans hésitation et sans reprises, il dessine avec son pinceau, ainsi son tableau gardera jusqu'au bout la fraîcheur d'une esquisse. Quel autre peintre allie, à une telle fraîcheur d'expression et à tant de fidélité à ce qu'il regarde, une telle maîtrise !

PORTRAIT DE Mme VUILLARD *(vers 1905)*

Quelle gentille expression et comme elle reflète bien les tendres rapports qui existaient entre le peintre et son modèle ! Le témoignage de Pierre Véber, qui est comme la résonance de ce portrait, s'impose ici. Voici ce qu'il écrira en 1937, sous le titre « Mon ami Vuillard » :

« ... Il était le troisième enfant d'une mère admirable qui vivait d'une entreprise de colifichets dans un entresol obscur de la rue du Marché-Saint-Honoré. C'est là que nous allions voir notre ami et nous avions dédié à Mme Vuillard une affection quasi familiale. C'était une figure d'une pureté et d'une noblesse extraordinaires. Elle avait pour notre ami une tendresse merveilleuse. Elle croyait en sa mission et elle s'y était consacrée avec une confiance et une abnégation presque sans exemple. C'est à elle qu'Édouard Vuillard doit d'avoir été le parfait artiste qu'il est devenu et aussi l'homme d'intelligence loyale, de caractère net et franc qui avait su gagner notre sympathie. C'est d'elle que cet artiste si puissant tient l'invraisemblable modestie dont il a fait preuve, même en présence de réussites inespérées. »

Claude Roger-Marx, qui, lui aussi, cite ce texte de Pierre Véber dans *Vuillard et son temps*, le complète admirablement par ces lignes :

« Vuillard n'eut qu'un seul grand amour : sa mère. Elle l'inspire sous des cheveux châtains, sous des cheveux gris ; il n'a cessé de partager sa vie ; même disparue, elle continue à le conseiller, à le protéger. »

RUES DE PARIS *(vers 1908)*

Vuillard a peint huit panneaux pour Henry Bernstein. Les cinq premiers, il les a entrepris en 1906, lorsqu'il habitait rue de La Tour. Comme à son habitude, il s'est inspiré des motifs qui étaient à sa portée. Malgré les changements survenus dans ce quartier, qui, en ce temps-là, avait conservé l'aspect d'un village, on reconnaît la rue de Passy au bout de laquelle apparaît la tour Eiffel. Mais Vuillard a sans doute la nostalgie de ses anciennes habitudes, car, en 1907, il quitte la désormais trop lointaine rue de La Tour pour regagner les abords de la place Clichy. Il va habiter au 26 de la rue de Calais. Désormais, sans avoir à se déplacer, c'est tout encadrés par ses propres fenêtres qui dominent le square Vintimille que ses motifs viennent s'offrir à lui. Vuillard s'est tellement identifié à ce coin de province parisienne qu'il semble en faire partie et qu'on ne l'imaginerait pas vivant ailleurs.

Le square forme un îlot tranquille entre la bruyante place Blanche avec le *Moulin Rouge* et les bruyantes avenues qui rejoignent la place Clichy. L'aspect de ces maisons aux modestes façades, auxquelles, à la belle saison, se mêlent les abondantes frondaisons du square, l'enchante. Voilà donc le spectacle devant lequel, pendant plus de trente ans, il s'éveillera chaque matin. Souvent, il descend pour se mêler à la vie de cette placette qui lui inspire tant de sujets de tableaux. Ce spectacle permanent l'incitera à peindre de grandes compositions, dont l'exquis paravent destiné à la princesse Bassiano, où se concentrent tout l'esprit et toute la tendresse de Vuillard pour ce petit monde. Bref, il immortalisera ce coin tranquille qui, certainement, portera un jour son nom. Pour ma part, je n'arrive pas à prendre le recul nécessaire pour dire mon émerveillement devant de tels ouvrages qui semblent relever du miracle, tant ils débordent de vie.

Dans une lumière d'après-midi d'avant printemps — l'ombre du réverbère nous en préciserait au besoin l'heure — cette vue du square s'offre à nous dans sa presque totalité. Chaque détail, transfiguré par l'esprit de Vuillard, est exquis et nous incite à en découvrir une multitude d'autres : Berlioz, statufié en bronze, semble même être là pour répondre à l'admiration que Vuillard avait pour ce génie musical. Et, parmi le petit monde qui circule et que je reconnais, je ne résiste pas au plaisir d'attirer l'attention de mon lecteur sur le petit personnage qui, dans le panneau de gauche où débouche la rue de Bruxelles, se signale par une rangée de boutons dorés sur sa veste : c'est le gardien du square !

Dans le panneau de droite, on voit au fond la rue de Douai, dont le coin apparaît distinctement dans le tableau, p. 135.

LA PARTIE DE DAMES A AMFREVILLE *(vers 1906)*

D'une des fenêtres du premier étage de la villa où il passe les vacances d'été avec ses amis, Vuillard a peint cette scène sur le vif. Tristan Bernard, vu de dos, a comme partenaire André Picard. Jos Hessel, qui ne s'intéresse qu'aux jeux de hasard, attend patiemment la fin de la partie pour provoquer un poker. Tous trois sont, cela va sans dire, d'une extrême ressemblance. Vuillard va même jusqu'à nous rendre l'atmosphère d'un chaud après-midi ; et la tasse de café oubliée sur un pliant a, elle aussi, par sa note de vérité, son mot à dire.

Mme HESSEL DANS SON SALON, RUE DE NAPLES *(1910)*

LES ENFANTS ROUSSEL, RUE DE CALAIS *(1909)*

Ils sont venus passer la journée chez leur grand-mère ; Annette fait ses devoirs, Jacques regarde par la fenêtre.

Mme HESSEL DEVANT LA TABLE A COUTURE *(vers 1910)*

Ce tableau me semble une image du bonheur. Il reflète toute la poésie des belles journées d'été et des fenêtres ouvertes sur le jardin.

C'est une chambre banale de villa en location. Imaginons Vuillard contemplant ce spectacle et se décidant à en perpétuer la vision. Son pinceau, comme pressé par tout ce qui le sollicite, ne s'arrête longtemps à aucun détail, aussi exquis soit-il : des reflets au plafond, il court aux rainures du parquet, puis aux feuillages; la table de toilette et son si touchant attirail ne sauraient le retenir davantage, car le lit lui apparaît tout éclairé dans la glace. Il se presse, il sait combien tout cela est éphémère... Bientôt, ce ne sera plus tant le sujet, qui nous a pourtant séduits tout d'abord, que l'enchantement de Vuillard qui nous retiendra et qu'il nous a transmis mystérieusement par la fervente attention qu'il a portée à ce spectacle.

ANNETTE SUR LA PLAGE DE VILLERVILLE *(1911)*

Tout ce que peint Vuillard est en puissance dans ses croquis. Des dons exceptionnels et un entraînement incessant lui permettaient de dessiner très vite et de saisir ses sujets sur le vif, réalisant ce qu'exigeait Delacroix d'un véritable dessinateur, qui

devait être assez habile pour saisir au passage un homme qui s'est jeté par la fenêtre d'un quatrième étage.

Sans doute, tout en dessinant, Vuillard pense-t-il au tableau qui va éclore de ses rapides notations. Il s'attache donc à ce qui est essentiel, c'est-à-dire aux rapports des proportions sur quoi il n'aura plus à revenir. Ensuite, il projette, dans un geste qui ne souffre ni hésitations ni reprises, son dessin sur sa toile.

Quant à la couleur... elle est entremêlée dans les lignes de son croquis.

Comme je ne crois pas que, hors des agendas dont je parle dans l'introduction, Vuillard ait exprimé ses idées sur la peinture autrement que le pinceau à la main, je pense qu'il n'est pas sans intérêt de mettre sous les yeux du lecteur quelques passages d'une étude sur Poussin par Delacroix que Vuillard a appréciés au point de les souligner au crayon et dont on peut dire qu'ils constituaient son évangile :

« Il [le Poussin] se servait pour tous ses menus ouvrages et aussi pour aller plus vite, de la peinture en détrempe dont il avait pris l'habitude et dans laquelle il acquit une grande habileté. Cette circonstance ne fut pas sans influence sur son exécution subséquente ; elle a laissé à sa manière quelque chose d'un peu sec, mais de résolu qui se retrouve surtout dans les tableaux de son meilleur temps. »

Le mot *résolu* devait enchanter Vuillard, qui l'a doublement souligné.

« Pour un homme qui imagine facilement, l'exécution doit être un instrument docile avant tout. D'ailleurs cette verve n'était pas chez lui, comme chez la plupart des artistes qui prétendent à la facilité, dépensée sur un fond mal digéré ou préparé à la hâte : la netteté des dessins qui nous ont conservé les premières pensées des tableaux du Poussin, témoigne de l'attention qu'il devait apporter dans l'arrangement de ses figures, dans leur proportion et dans leur convenance; mais il paraît aussi qu'une fois maître de son sujet et fixé sur les rapports des détails avec l'ensemble du tableau, il exécutait chaque détail avec une franchise bien précieuse quand elle ne brille pas aux dépens du juste équilibre des parties entre elles et de la finesse des expressions. C'est cette rapidité d'exécution ou, si l'on veut, cette apparente négligence qui a fait dire à Mengs que les tableaux du Poussin n'étaient que des esquisses ou des ébauches. Exquises ébauches, où tout est rendu pour l'âme et pour l'intelligence ! Heureuses et précieuses esquisses, où chaque touche de cette main savante est une pensée achevée. »

Enfin, c'est au « judicieux Vauvenargues », comme il le qualifie lui-même, que fait appel Delacroix. Ici, c'est avec l'ongle que Vuillard a souligné :

« Tous les grands hommes ont eu des modèles ; mais, en imitant, ils sont restés originaux, parce qu'ils avaient à peu près le même génie que ceux qu'ils prenaient comme modèles; de sorte qu'ils cultivaient leur propre caractère sous ces maîtres qu'ils consultaient et qu'ils surpassaient quelquefois; au lieu que ceux qui n'ont que de l'esprit sont toujours de faibles copistes des meilleurs modèles et n'atteignent jamais leur art, preuve incontestable qu'il faut du génie pour imiter. »

« Il n'y a pas de détails dans l'exécution » Valéry ——

Unité entre les détails et les personnages, importance d'une indication de proportion significative —

Vu votre sens [illegible] dans un bouquet de [illegible] à une première visite.

LA PETITE CUISINE, BOULEVARD MALESHERBES *(vers 1913)*

Depuis plusieurs années, Vuillard a loué un atelier, 112 boulevard Malesherbes, pour y peindre de grandes toiles et pour y entreposer tout ce que son appartement trop exigu ne peut contenir. Il y reçoit aussi parfois des modèles. Ce local comportait une chambre éclairée d'un côté par l'atelier et de l'autre par une petite cuisine qui fait l'objet de ce tableau.

En nous montrant les choses qu'il regarde, Vuillard semble leur communiquer l'ineffable fraîcheur de son sentiment. En les débarrassant de leur « convenu », il en dégage la poésie qui émane uniquement de leurs rapports de formes et de couleurs. Ainsi, un modeste évier de cuisine retiendra son attention au même titre qu'un éclatant bouquet de fleurs.

Lorsqu'il abordera de luxueux intérieurs, certains, méconnaissant l'inattaquable pureté de Vuillard, le taquineront sur ce qu'ils nomment son embourgeoisement. En fait, Vuillard, totalement désencombré de tout préjugé, ne s'est jamais refusé à ce qui s'offrait et parfois même s'imposait à lui, y voyant toujours une épreuve à aborder et, par conséquent, un enseignement. D'ailleurs, quand il peint, il est indifférent au nom que portent les choses, mais il nous est loisible de penser que son esprit chrétien et le souvenir de son enfance le portent à s'attendrir devant les décors les plus humbles.

Ici, ce ne sont que des carreaux de faïence à moitié brisés, où jouent les bleus et les roses, c'est le bec Auer, au bout de son bras de cuivre articulé, le tuyau de gaz sur le mur salpêtré et quelques guenilles séchant sur une corde ; c'est une bouteille de Vittel, c'est un pot-au-feu sur une étagère devant lesquels nous sommes tentés de nous extasier tant l'expression juste nous les rend ravissants. Le jour d'une fenêtre, derrière la cloison à droite, frappant le parquet, relègue dans la demi-teinte tout le tableau, y compris l'accessoire modèle en chemise.

TROIS DES PANNEAUX PEINTS POUR LA COMÉDIE DES CHAMPS-ÉLYSÉES *(1913)*

Cet ensemble comporte dix panneaux. Si le nombre, la proportion et la disposition des emplacements proposés à Vuillard ne se prêtaient guère à réaliser un ensemble décoratif, la réussite n'en est pas moins complète, et les spectateurs du théâtre retrouvent sur les murs, pendant les entractes, une abondance de vie qui ne le cède en rien au spectacle de la scène. On sent que Vuillard traite avec joie ces types d'acteurs et ces sujets de théâtre qui lui ont été révélés par Coquelin cadet; et n'est-ce pas avec les décors et les programmes de l'Œuvre qu'il a vraiment commencé sa carrière de peintre ? Plus tard, il fréquentera le théâtre Édouard-VII où jouent les Guitry — dont il fera des portraits — et où il peindra les coulisses. A différentes occasions, il fit poser Suzanne Desprès, mariée à son ami Lugné-Poe ; ce dernier est représenté, p. 124, ajustant une barbe.

Voici, à gauche, *Le Petit Café* de Tristan Bernard. Cette pièce fut créée au théâtre du Palais-Royal en 1911, et son succès fut retentissant. Au centre, de face, c'est l'iné-

narrable Germain, qui n'avait qu'à paraître pour faire rire et qui fut, avec son visage triste, un des plus grands acteurs de vaudeville. Le Gallo lui donne la réplique. Assis, à droite, avec de grands favoris blancs, Marcel Lévêque en compagnie de Madeleine Dolley et, à gauche, Camille Calvet.

La scène du *Malade imaginaire* a été observée au théâtre de l'Odéon. Lorsque André Antoine fut nommé à la direction de ce théâtre, il entreprit de rajeunir le répertoire classique et il fit appel à un comique de café-concert, spécialisé dans la farce, pour interpréter le rôle d'Argan. Vilbert y triompha. Thomas Diafoirus, c'est Desfontaines, qui avait suivi Antoine à l'Odéon ; à droite, le délicieux Pierre Bertin en Cléante ; au centre, Germaine de France en Angélique ; et Marguerite Peuget, à gauche, dans le rôle de Martine.

Revenus du ravissement où nous portent ces tableaux, on ne peut pas ne pas évoquer les scènes de théâtre dont Degas, avant Vuillard, nous a montré des aspects. Non certes pour opposer ces deux artistes — Vuillard admirait profondément Degas — mais pour goûter, si je puis dire, en quoi ils diffèrent. Alors que, chez Degas, la rigueur du dessin confère à l'attitude des personnages, saisis et comme arrêtés dans leur mouvement, un caractère statique d'une indéniable beauté, chez Vuillard la vie semble se continuer comme une recherche qui ne peut arriver à son terme. Aussi scrupuleux que Degas, Vuillard tend moins à dominer les spectacles qu'à se mêler à eux, dans une sorte de corps à corps. Ici, son esprit, sa gentillesse fusent au bout du pinceau et se manifestent dans une écriture cursive, qui communique au tableau le frémissement d'un feuillage. Pris totalement par le spectacle, on le sent associé dans le plaisir à la verve comique des auteurs et au jeu des acteurs aussi bien qu'à la couleur insolite des éclairages dont nous ne retiendrons que « l'effet » sur le plastron de l'acteur Germain quelque peu ventripotent et tout proche de la rampe : seul le bas du gilet en reçoit le feu, tandis que tout le haut du plastron est noyé dans une bien attachante demi-teinte.

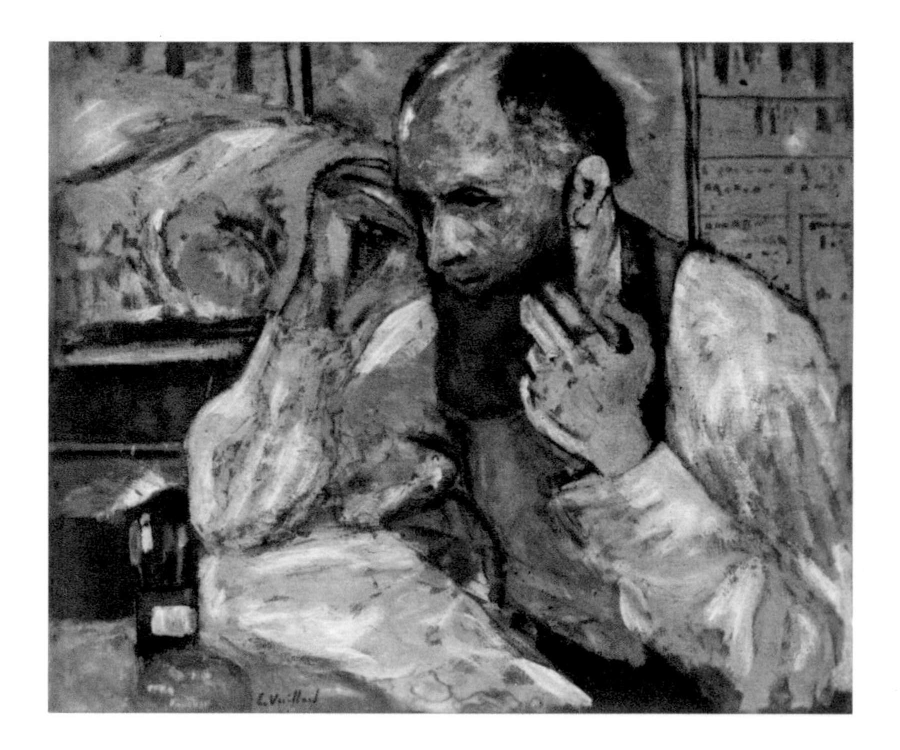

VUE SUR LA "BINNENALSTER" *(1913)*

En 1913, Alfred Lichtwark, sans les connaître personnellement, invite à ses frais Vuillard et Bonnard à venir passer une semaine à Hambourg. Il attendait d'eux qu'ils enrichissent la Kunsthalle d'une ou deux vues de la ville — ce qui fut fait.

E.V.

E.V.

ANNETTE RÊVEUSE *(vers 1918)*

Tout imprégné du croquis qu'il tient en main, Vuillard s'élance avec son pinceau sur la feuille de papier bulle qu'il a fixée avec des punaises; et c'est d'un jet et sans repentirs qu'il trace cet émouvant portrait qui a toute la saveur d'une esquisse.

PORTRAIT DU Dr VIAU OPÉRANT *(1914)*

Là encore, c'est Annette qui, modèle discipliné, s'est prêtée à ce simulacre. Malgré la complexité du sujet auquel s'ajoute la variété des éclairages, l'observation directe de Vuillard se manifeste avec le même élan que lorsqu'il peint Annette rêveuse.

C'est à peine si l'on pense que le Dr Viau pose pour son portrait, tant Vuillard semble l'avoir saisi en action. Je ne crains pas de me répéter en disant que Vuillard peint la vie même et que la vérité pour le peintre ne se situe pas dans la somme d'une succession d'aspects, mais dans cet instant d'éternité où les choses lui apparaissent. Une fois relié par son premier croquis, Vuillard entretient un dialogue avec ce qu'il regarde, les choses lui parlent et il leur répond, inspiré par l'amour qu'il porte aux apparences et aux rapports qu'elles ont entre elles..., un peu comme l'enfant qui répond aux interrogations de sa poupée ou comme celui qu'enivre le parfum d'une fleur.

Ici, Vuillard, emporté dans son travail et craignant de laisser échapper sa sensation, déposera par moments son pinceau pour recourir au pastel plus rapide et que, par endroits, il écrasera merveilleusement sur sa toile; mais c'est là une exception car, presque toujours, revenant sur ses élans, Vuillard prenait à son compte le mot orgueilleux de Valéry : « Ce qui se fait trop facilement se fait sans nous. »

LA PLACE SAINT-AUGUSTIN *(1912-1913)*

Ces tableaux sont peints avec la même liberté et procèdent de la même veine que les scènes de théâtre que nous venons de voir. Assis à la terrasse du café qui fait l'angle du boulevard Haussmann et de la rue de la Pépinière, Vuillard a rêvé ses sujets en étroite communion avec ce qu'il contemple.

Le temps ajoute un charme à ces scènes de la rue où les gens flânaient encore et où les marchands de fleurs poussaient en tous sens leur petite voiture.

Le premier panneau représente l'enfilade de la rue La Boétie, avec le magasin Potin, à gauche, et Berteil le chapelier, à droite. Sur l'autre panneau, on voit une élégante derrière laquelle passe une calèche. A droite, c'est l'ancienne caserne de la Pépinière d'où résonnait parfois le clairon et, dans le fond, l'immeuble où se trouve le magasin de sport Tunmer, à l'angle des boulevards Haussmann et Malesherbes. Les chaises et la tente du café encadrent tout bonnement ce spectacle enchanteur. Ces décorations ont été peintes pour le Dr Vaquez.

JEUNE FEMME ASSISE PRÈS D'UN POÊLE *(vers 1913)*

Un sentiment profond se dégage du portrait de cette inconnue au mystérieux regard baissé. Je le tiens pour un des plus émouvants qu'ait peints Vuillard, tout identifié à ce qu'il regarde.

La matière de ce tableau peint à la colle révèle que son exécution a exigé de nombreuses séances avant que Vuillard en arrive à cet instant suprême où l'artiste communique à son œuvre toute son âme.

E. Vuillard

Vuillard offrit ce tableau à une œuvre de charité qui le mit en loterie! Un aveugle hasard valut à cette œuvre un long séjour dans un grenier avant qu'elle ne brille au musée de Cologne.

LA CHAPELLE DU CHATEAU DE VERSAILLES *(1918-1930)*

Vers la fin de la guerre de 1914-1918, Lucie Hessel allait fréquemment à Versailles, où elle s'occupait d'une œuvre de rééducation des blessés de la vue. Souvent, Vuillard l'y accompagnait et en profitait pour faire de longues stations dans la chapelle du château. Il en résulta une fort belle œuvre. Une dizaine d'années plus tard, Vuillard, qui revoyait souvent ce tableau chez son ami Jean Laroche, pensa qu'il aurait pu cette fois encore tirer un meilleur parti de ses croquis. Il demanda donc à Jean Laroche la permission d'y apporter quelques retouches. Le tableau resta des mois sur le chevalet de Vuillard, qui le reprit entièrement pour en faire ce bijou. Est-ce le lieu de rappeler ce passage du *Discours sur le style* de Buffon, que Vuillard avait copié dans un de ses carnets de croquis? Parfois, dans ses propos, il y faisait allusion : « Les ouvrages bien écrits seront les seuls qui passeront à la postérité... », et, plus loin : « Un beau style n'est tel que par le nombre infini de vérités qu'il présente. »

LA PLACE VINTIMILLE *(vers 1918)*

Par ses rapports exquis, ce tableau évoque toute la lumière éthérée d'une matinée printanière sous le ciel de l'Ile-de-France.

On voit trois mannequins dans la vitrine du tailleur, rue de Douai, que dépasse un taxi rouge de la Marne. A gauche, un plâtrier s'avance, lisant le journal; les formes étranges qui se dressent sur le trottoir sont les plaques de fer qui se rabattaient sur une bouche d'égout.

Me jugera-t-on excessif si j'attire l'attention sur le spirituel graphisme de la grille de l'arbre au premier plan, à gauche, qui, à lui seul, signerait le tableau?

LE SALON, RUE DE CALAIS *(vers 1918)*

Voici la pièce où travaillait Vuillard. Elle faisait le coin de la rue de Calais et de la place Vintimille. C'est le décor de beaucoup de scènes et de portraits. Entre la Vénus de Milo et les rayons de livres, le pan de tapisserie ancienne cachait la porte de sa chambre à coucher. Au premier plan, à gauche, le bord du tabouret sur lequel Vuillard déposait ses croquis lorsqu'il peignait. Les nuances dans le blanc sont remarquables. Le personnage est un modèle.

LA CHAMBRE DE Mme VUILLARD *(vers 1918)*

Peindre ainsi, de face, en premier plan, deux fauteuils semblables adossés à un divan du même ton et y mettre tant d'esprit est une gageure.

Annette, en corsage blanc aux manches transparentes, s'apprête à sortir ; Mme Vuillard est dans son petit cabinet de toilette. Sur le mur, deux toiles de Bonnard : le *Portrait de Marthe Bonnard* et l'exquise *Petite Rue*.

PORTRAIT DE Mme KAPFERER *(1919)*

Comme Rembrandt, Vuillard a été particulièrement inspiré par les vieillards, et surtout par les vieilles dames qui lui rappelaient sa mère. Avec eux, il s'adonnait à la méditation. La qualité du silence qui se dégageait de ces entretiens muets lui convenait visiblement. Il s'y recueillait. Ce portrait, où la sensibilité et la raison vont de pair, est un chef-d'œuvre. A son habitude, Vuillard ne s'est pas mis en peine de chercher une pose, ni de provoquer une expression chez son modèle, et le visage ne retient pas davantage son attention — ni la nôtre par conséquent — que le reste du tableau : le personnage et le décor ne font qu'un. C'est en s'appliquant à traduire les apparences que Vuillard nous transporte dans cet invisible qui nous émeut plus réellement que l'attitude de son modèle dont le geste évoque fortuitement celui des « donatrices » du temps où les peintres illustraient des titres religieux.

Prêté en 1925 pour une exposition aux États-Unis, ce tableau fut gravement endommagé au cours du voyage. Par suite d'une fuite d'eau, le papier goudronné qui l'enveloppait s'était collé sur la peinture. Marcel Kapferer, désespéré, alerta Vuillard. Celui-ci se montra enchanté de l'aventure qui allait lui permettre de reprendre tout son tableau dont certaines parties ne répondaient plus à ses exigences. Je vois encore sur la table de Vuillard les deux belles reliures de cuir rouge dans lesquelles Marcel Kapferer conservait tous les croquis dont Vuillard s'était dessaisi pour être agréable à son ami; je vois Vuillard choisissant un de ces croquis et appliquant dessus une feuille de papier transparent quadrillé au millimètre, puis traçant au fusain des carreaux sur tout le bas de la robe et, armé d'une loupe, reportant scrupuleusement les détails du croquis sur la toile.

LA CHAMBRE ENSOLEILLÉE *(vers 1920)*

C'est la chambre de Mme Vuillard à Vaucresson. Dès la belle saison, Vuillard et sa mère allaient s'installer dans une petite villa en location proche du Clos Cézanne.

Devant cette peinture qui est toute lumière, on s'étonne de la souplesse avec laquelle Vuillard semble s'évader de ces travaux de longue haleine que représentent ses grands portraits pour y intercaler de tels joyaux qui témoignent de sa jeunesse de cœur !

AU MUSÉE DU LOUVRE *(1920-1921)*

Vuillard se devait de rendre ce bel hommage au Musée du Louvre dont, toute sa vie, il fut un assidu. Dans sa jeunesse, il y allait avec Roussel, et les théories qui s'éla-

boraient dans le groupe des Nabis ne l'ont pas détourné longtemps, comme on l'a constaté, de l'admiration qu'il avait vouée aux maîtres qu'il s'était choisis et qu'il n'a cessé toute sa vie d'interroger. Piqués sur les murs de sa chambre ou semblant traîner

sur les meubles de la pièce où il travaillait, on voyait se succéder de grandes photographies représentant des œuvres de Rembrandt, de Le Sueur, pour lesquelles il avait une prédilection. Les *Muses de l'hôtel Lambert*, les scènes de la *Vie de saint Bruno*, *Réunion d'artistes autour d'une table*... m'ont valu de sa part d'inoubliables commentaires ; et aussi Chardin, Prud'hon, Corot, Delacroix, témoignant ainsi qu'il ne pouvait se passer de ces grands exemples.

Je ne doute pas que Degas, dont souvent Vuillard se réclamait, n'eût admiré ce merveilleux ensemble qui se compose de six panneaux dont ne sont représentées ici que la salle des Cariatides et la salle La Caze, avec le *Bocal d'olives* par Chardin, le *Président de Laage* par Largillière, *Jupiter* et *Antiope* par Watteau, *Scène champêtre* par Lancret et *La Lettre* par Fragonard. Mme Vuillard et Annette encadrent la composition.

Le croquis en bas de la page est dessiné d'après la *Réunion d'artistes* par Le Sueur.

LES TASSES NOIRES *(1919-1924)*

Misia, en quittant Thadée Natanson, a épousé le milliardaire Edwards, avant de rencontrer son troisième mari, le peintre catalan José-Maria Sert. Vuillard la représente ici dans le riche décor de son habitation, rue de Constantine, aux Invalides. Ce tableau qui, avec d'autres grandes toiles, était mystérieusement retourné contre le mur dans l'atelier du boulevard Malesherbes, m'apparut un jour, ainsi que son double — c'est-à-dire la première esquisse —, sur des chevalets. Vuillard, après un assez long repos, se remettait à ces portraits. Des quantités de croquis et d'études touchées de pastel composaient sa documentation, et je crois bien me rappeler qu'il ne retournait plus chez son modèle. En regardant Vuillard travailler à ce tableau j'eus, un matin, la révélation que la peinture était pour lui moins un but qu'un moyen de connaissance. C'est par une attentive interrogation de ses croquis qu'il retrouvait dans les moindres formes notées ses sensations originelles devant le sujet. Et cette scrupuleuse façon de travailler me paraissait, en ce temps-là, bien étrange.

LA PARTIE DE CARTES A VAUCRESSON *(vers 1922)*

Alfred Natanson, Marcelle Aron et Tristan Bernard, dont on ne voit que le bout de l'oreille surmontée de la raie révélatrice, sont ici les partenaires de Jos Hessel. L'idée de peindre des joueurs de cartes n'a pas davantage effleuré Vuillard que n'y a pensé Cézanne dans son célèbre tableau. Vuillard cherche seulement la plus grande identité avec ce qu'il regarde; ainsi, simplement, par les rapports des valeurs et la vérité des attitudes, exprime-t-il le *silence* quasi religieux qui règne autour d'une table de bridge.

DANS LE JARDIN DU CLOS CÉZANNE *(1923-1933)*

Pendant la guerre de 1914, Jos Hessel vendit un tableau de Cézanne qui ornait sa salle à manger pour acquérir une propriété à Vaucresson, qui portera de ce fait le nom de « Clos Cézanne ».

Dès le retour de la belle saison, Lucie Hessel allait s'y installer, et son monde l'y suivait. Lucie Hessel était une parfaite maîtresse de maison que les caprices et les relations d'affaires de son mari mettaient souvent à l'épreuve; mais, plus que la société, elle aimait sa maison et son intimité. Son jardin était, une grande partie de l'année, l'objet de tous ses soins. Cette roseraie était son œuvre, elle y passait ses matinées, un panier au bras et le sécateur à la main. Les bouquets qu'elle confectionnait ravissaient Vuillard, dont les compliments la rendaient heureuse. Nous la voyons ici avec Alfred Natanson. Dans le fond, Hessel est plongé dans la lecture du journal. Passionné pour les jeux de hasard et particulièrement pour les courses de chevaux, il médite sur les chances d'un outsider.

Ce tableau a connu, lui aussi, plusieurs états, Vuillard, sans toutefois rien changer à la composition, l'ayant repris dix ans plus tard. Le sujet de plein air et l'éclat de la couleur rattachent cette œuvre à l'impressionnisme; elle s'en distingue cependant

par le style et une recherche raisonnée des formes. En s'en tenant uniquement à ses croquis, aussi anciens soient-ils, mais que son expérience lui permet de mieux analyser, Vuillard retrouve et recrée ses premières impressions de nature ; ainsi donne-t-il à son ouvrage une plénitude et une profondeur que n'ont pas toujours les œuvres plus spontanées, telle la charmante esquisse ci-dessous.

PORTRAIT DE Mme VAL SYNAVE *(1920)*

Toute œuvre témoigne de son auteur et, à plus forte raison, l'œuvre d'art qui nous révèle l'homme dans ce qu'il a de plus intime. Mais celle-ci n'est réellement vivante que lorsqu'elle nous le montre en train de passer de l'état présent à celui de devenir, car ce n'est que dans un nouvel élan qu'il se met en état de créer, sinon, son esprit n'étant plus revivifié par la sensation, il ne ferait que se répéter.

Vuillard nous révèle dans ce tableau ses qualités foncières, celles mêmes que Cézanne exigeait chez un artiste : scrupule, sincérité, soumission.

Mme Val Synave arrive chez Vuillard. Elle vient pour son portrait. Tout en se regardant dans la glace qui est au-dessus de la cheminée, elle demande à Vuillard quelle pose elle doit prendre. Vuillard lui répond : « Vous êtes bien ainsi. » Et, aussitôt, il fait le croquis reproduit ci-contre. Il a conçu son tableau, il n'aura plus qu'à le peindre.

Lorsque j'ai connu Vuillard, il travaillait à ce portrait. L'étrangeté de cette composition m'éclaira aussitôt sur ce discret humour que son ton ne m'avait pas encore laissé soupçonner. Il était, en effet, plutôt audacieux de sa part de confronter cette dame mûre avec le type accompli de la beauté grecque ; mais ce fut son *matériel* de travail qui surtout me parut insolite, car je ne savais rien de la peinture à la colle. Vuillard ne tarda pas à m'en faire la démonstration.

Tout près de la fenêtre, se trouvait une table de bois blanc encombrée de petits sacs de papier contenant des poudres et un grand bol de bois où fondaient des pains de blanc de Meudon ; sur un réchaud à alcool baignait, dans une casserole, un pot à moutarde, avec sa petite cuiller de bois, où mijotait la colle de peau brunâtre dont l'odeur n'est pas particulièrement agréable ; enfin, une cuvette où trempaient des pinceaux.

Vuillard est debout devant sa table. Prestement, il plonge son pinceau tout humide dans les sacs de couleurs dont les bords sont tout encroûtés et mélange d'instinct ses tons dans un petit pot de terre qu'il tient à la main en les diluant avec quelques cuillerées de colle, sans tenir grand compte de la consistance que celle-ci finit par prendre en chauffant. Je n'ai jamais vu Vuillard travailler autrement que très vite. Il va, il

vient, modifiant ses tons, consultant ses croquis, recourant parfois au pastel pour fixer rapidement sa sensation. Les tons qu'il pose sur sa toile vont s'éclaircir jusqu'à ce que l'eau s'en soit évaporée. Et c'est alors qu'intervient le moment du fauteuil que Vuillard, en plaisantant, déclarait indispensable à toute bonne peinture. Il s'y affale et, face à son tableau, il observe la dégradation de la couleur.

A force d'être revenu sur les mêmes endroits avec des tons frais, posés sur des couches dont son impatience ne lui a pas toujours permis d'attendre qu'elles soient sèches, des parties s'encroûtent et se craquellent... à l'apparente satisfaction de Vuillard, qui en goûte l'aspect rocheux.

La première fois que j'assistai à cette scène, je ne saisis naturellement pas l'avantage que trouvait Vuillard à compliquer encore son travail par un procédé qui freinait ses élans. Un jour, à ma question il répondit en me laissant entendre que la peinture à l'huile était trop facile et offrait trop de tentations! Cette réponse, que j'avais interprétée d'abord comme une boutade, m'est apparue ensuite comme tout à fait révélatrice du souci majeur de Vuillard dans sa maturité. En effet, si la *colle*, qu'emploient les décorateurs de théâtre et avec laquelle Vuillard s'était familiarisé en peignant les décors de l'Œuvre, convenait encore pour les décorations murales dont nous avons présenté ici de nombreux exemples, cela devenait une gageure d'employer un tel procédé pour peindre des portraits. En engageant une patiente lutte avec cette matière rebelle qui, à force de surcharges, prend l'apparence d'une boue colorée, Vuillard imprègne positivement celle-ci de sa pensée et, en l'animant, lui communique un langage. Ce langage, par son caractère secret, ne me semble pas sans analogie avec cette rigueur d'expression que s'imposait Mallarmé.

Si j'ai tant insisté sur la *pratique* de Vuillard, c'est parce que je pense que, pour goûter vraiment une œuvre d'art, il faudrait non seulement être doué d'une sensibilité qui s'apparente à celle de l'auteur, mais aussi pouvoir le suivre dans son travail au point de s'identifier à lui.

Je rapporte ici, sans commentaires, ce passage du *Journal* de Maurice Denis daté de cette même année 1925 :

« A l'exposition de la vente Gangnat, je dis à Bonnard mon admiration, ma surprise ravie devant les deux natures mortes de Vuillard. Il n'admet pas, comme cela me semble évident, qu'elles font tort aux délicieux barbouillages du vieux Renoir; mais il convient que ceux-ci sont comme des produits de la nature à côté d'une œuvre d'homme. Tout ce qu'il y eut d'intellectuel dans l'art de notre génération apparaît là avec une autorité qui ne trompe pas : Cézanne n'est supérieur que parce qu'il a un plus grand style; et encore ! Sa gaucherie n'est-elle pas un défaut aussi grave que le scrupule minutieux de Vuillard ? Vuillard est un petit peintre parfait, avec des dons d'œil égaux aux plus grands, mais l'intelligence est la qualité suprême de sa peinture... »

Mme VUILLARD ALLUMANT SON MIRUS *(vers 1924)*

En arrivant un matin chez Vuillard, j'ai surpris cette scène. Je ne l'oublierai jamais, surtout à cause de l'expression avec laquelle, sans se départir de sa pose, cette chère femme m'accueillit. Bien sûr, elle était heureuse de poser pour son fils, elle en avait l'habitude; mais, cette fois, son regard manifestait que, vraiment, il exagérait. Quand Vuillard, tout en continuant à dessiner, lui annonça que c'était... presque fini, Mme Vuillard soupira discrètement. Mes remontrances enjouées sur la cruauté bien connue des artistes envers leurs modèles n'eut qu'un faible écho car, déjà, tout en se frictionnant les genoux, elle était dans les bras de son fils qui l'aidait à se relever et qui l'embrassait pour se faire pardonner d'avoir tant exigé de sa vieille maman.

PORTRAIT DE LA COMÉDIENNE JANE RENOUARDT *(1927)*

Quel étrange décor ! Comme toujours, ce sont les circonstances qui en ont décidé. Voici l'histoire de ce portrait.

Souvent, vers cinq heures, j'allais voir Vuillard rue de Calais et, un peu plus tard, nous nous rendions, à pied, rue de Naples, chez Mme Hessel. Ces moments-là étaient déjà précieux pour moi; le temps m'en a révélé le prix. Fréquemment, au cours de ces promenades, après une journée de travail, se produisaient ces abandons et ces silences qui sont le fond et le charme de l'amitié et qu'on n'évoque qu'en les associant aux lieux qui en furent les témoins.

Vuillard parlait peu de son propre travail; peut-être pour s'y réserver entièrement. Je savais qu'il avait entrepris le portrait de Jane Renouardt, qui habitait les coteaux de Saint-Cloud. Vu la distance, et pour éviter de trop fréquentes allées et venues, il peignait ce tableau à l'huile et sur place. Je savais aussi que les séances de pose avaient débuté dans le salon; et puis, un jour, le froid étant intervenu, Jane Renouardt, qui posait en robe décolletée, avait tout simplement proposé à Vuillard de poursuivre son travail dans la salle de bains où il faisait chaud ! Vuillard se soumit et recommença son tableau. La pièce était exiguë, toute en glaces, et bien peu d'espace séparait le peintre de son modèle. J'en étais là de l'histoire, lorsque Vuillard m'en apprit la suite. Je nous vois encore, à la hauteur du pont de l'Europe. Riant, avec cette sorte d'ingénuité qui contrastait tellement avec son air habituellement sérieux, Vuillard me conta que, pour gagner du champ, la veille, il avait pris le parti de s'asseoir sur le bord de la baignoire... « mais, aujourd'hui, poursuivit-il d'un air conquérant, j'ai enjambé la baignoire avec le tabouret !... » Et de rire. Ayant rencontré vingt-cinq ans plus tard le modèle, c'est avec les mêmes détails que cette histoire me fut rappelée !... Et, une fois de plus, je fus ému en éprouvant combien ceux qui avaient posé pour Vuillard étaient heureux d'évoquer les heures passées en sa compagnie, et quel souvenir ils gardaient de l'homme dont l'œuvre perpétuait chez eux la présence.

PORTRAIT DE LUCIE HESSEL *(1924)*

C'est encore dans des jeux d'éclairage d'une rare complexité que Vuillard a peint le portrait de son amie, plus heureuse de se sentir aimée que regardée.

J'ai assisté à plusieurs séances de pose, et je n'ai pas oublié comme le regard du modèle accompagnait affectueusement le peintre dans sa tâche. Tant de simplicité me dissimulait que c'est dans ce climat que naissent les chefs-d'œuvre.

Vuillard est assis devant sa toile posée simplement sur une chaise et appuyée au dossier. Il tient sa palette, qui est d'une parfaite propreté, et il peint... Lucie Hessel a repris la pose. Elle a ouvert, à la page de la veille, le livre sur Courbet posé devant elle sur la table. La photographie du tableau, que j'ai devant les yeux, tendrait, si je n'y prenais garde, à embrumer mes souvenirs et à chasser cette mystérieuse présence que nous, spectateurs, nous sentions dans la pièce, et que recèle toujours le tableau !

Chacun parle, mais Vuillard est comme isolé dans son travail. Une fois pour toutes, il a laissé entendre qu'on ne le gênait pas. Eugène, le valet de chambre, introduit une visite. Vuillard lui accorde un sourire mesuré à l'intérêt que présente la personne qui, discrètement, va s'asseoir. Et la séance continue. Lucie est un parfait modèle; comme Mme Vuillard, elle sait à quoi s'en tenir. C'est par moments seulement, et rien que par le regard, que Vuillard exige l'immobilité. Soudain, il se lève pour rétablir un pli du corsage ou rectifier la place d'un objet et, sans que son attention se relâche, poursuit son travail. Il lui arrive de sortir de la poche de son gilet un petit canif blanc dont il se sert pour gratter quelque endroit de sa toile. Les choses qui, par notre inattention, paraissaient sommeiller, s'éveillent et s'éclairent sous le regard aigu, tendre et pénétrant de Vuillard ; pour un peu, nous serions tentés de les trouver plus belles sur sa toile qu'en réalité.

C'est l'heure du dîner ; Jos Hessel revient du cercle. Par distraction et croyant la séance terminée, il s'affale sur le divan, dans le champ de Vuillard. Bientôt, le voilà embarqué pour l'éternité dans le chef-d'œuvre.

Celui qui s'intéresse aux spectacles de la vie et qui observait Vuillard pendant qu'il peignait ne pouvait pas ne pas être saisi par l'expression passionnée de sa physionomie; elle manifestait une vraie prise de possession que traduisait sa main. On pouvait penser aussi à un virtuose, tout entier accordé avec l'orchestre...

Dans ces ouvrages d'une contexture particulièrement serrée, on sent toujours Vuillard libre de ses moyens, et son travail est comme un *jeu* où vont de pair sa sensibilité et son jugement.

Est-il possible de donner, à ceux qui n'en ont pas l'expérience, quelque idée de l'atmosphère qui règne dans une pièce où s'élabore cette sorte d'incantation qui résulte de la confrontation d'un peintre avec son modèle ?

E Vuillard

Mme VUILLARD ENTRANT LE MATIN
DANS LA CHAMBRE DE SON FILS *(vers 1922)*

Parmi de grandes reproductions du *Jugement dernier* de Michel-Ange qui étaient fixées sur le mur à droite, une lithographie et trois gouaches de son ami K. X. Roussel, épinglées à la tête de son lit, veillent sur le sommeil de Vuillard.

PORTRAIT DU Dr WIDMER *(vers 1926)*

Je signale dans la préface du livre dans quelles conditions Vuillard a peint ce portrait.

VUILLARD SE LAVANT LES MAINS *(1925)*

Depuis *Le Petit Livreur* (p. 52), nous avons vu combien Vuillard est resté fidèle à l'inattendu, à *l'immédiat*, si je puis dire, des spectacles qu'il compose simplement en les regardant. Vuillard est ici dans son cabinet de toilette, sorte de grand placard attenant à sa chambre à coucher. La glace où il se surprend est encadrée de photographies et de peintures dont il renouvelait souvent le choix. Ce n'était évidemment pas pour décorer cet endroit que Vuillard y épinglait des reproductions d'œuvres qu'il admirait, mais pour continuer, en fonction de ses travaux en cours, à poursuivre avec elles de secrets entretiens. N'avait-il pas l'expérience que, dans l'accomplissement de certains gestes machinaux, l'esprit s'allège et s'éveille aussi au contact de l'eau ?

Nous reconnaissons ici *Raymond Diocrès parlant après sa mort*, par Le Sueur, un Rubens, un Roussel, des estampes japonaises et la tête du prophète Zacharie par Michel-Ange, une copie à l'huile de la main de Vuillard. La *Mort de saint Bruno* de Le Sueur, la *Création d'Adam* de Michel-Ange, *La Famille du menuisier* de Rembrandt, le portrait de Descartes par Frans Hals, faisaient souvent, je m'en souviens, la navette entre le cabinet de toilette et le voisinage de la Vénus de Milo, dans le salon. Un bec Auer éclairait ce réduit. La table de toilette, avec son napperon, dont on voit le coin, à gauche, se prolonge dans la glace, derrière la cuvette qui reposait, à l'état permanent, sur un tabouret. Telle était l'indifférence de Vuillard quant au luxe et même aux simples commodités.

Quant à sa chambre à coucher, que nous voyons à la page précédente, c'était celle d'un anachorète dont le seul luxe, si j'ose dire, consistait en une petite descente de lit usée. Pour s'éclairer, Vuillard se contentait de la lampe à pétrole que l'on voit sur sa table de chevet, n'ayant pas jugé nécessaire de faire prolonger jusqu'à sa chambre l'installation électrique qu'il s'était décidé à faire poser dans les autres pièces.

LES QUATRE ANABAPTISTES *(vers 1925)*

C'est ainsi que, par plaisanterie, Roussel se dénommait lui et ses amis dont Vuillard nous a laissé de bien précieux témoignages en nous les montrant sur leur lieu de travail.

Les visiteurs du Petit Palais reconnaissent les maquettes reproduites ici, qui sont exposées ensemble dans la même salle que les tableaux, dont l'état ne semble cependant pas justifier cette répétition.

Je me souviens qu'après avoir peint, vers 1930, ces *maquettes* — qu'il n'a qualifiées ainsi et de sa main que par la suite — Vuillard entreprit un jour de les reporter sur d'autres toiles de mêmes dimensions. Comme je lui en demandais la raison, pensant en moi-même qu'il envisageait de céder ces tableaux et qu'il était désireux d'en garder pour lui un état, il me laissa entendre que c'était... par simple exercice.

Peu de notes lui avaient suffi pour peindre ces maquettes. Cherchait-il à mettre à profit sa grande expérience pour les interpréter autrement ? Voulait-il s'aventurer sur de nouveaux chemins ? Cela était, après tout, dans sa ligne. Me souvenant lui avoir entendu dire souvent combien il admirait la liberté d'invention des Anciens, je me demandais s'il ne cherchait pas tout simplement à se libérer des contraintes auxquelles il obéissait. C'est donc *à froid*, si j'ose dire, et sans autre soutien que les notes qu'il avait utilisées pour les maquettes, qu'il se lançait dans cette aventure, méconnaissant qu'il n'était vraiment lui-même que lorsqu'il faisait corps avec la nature au point de s'identifier à elle comme le cavalier avec son cheval. En cela Vuillard est plus proche de Roussel qui, à l'exemple de Cézanne, ne pose une touche, n'esquisse un trait qui ne lui soit dicté par sa sensation, que de Bonnard qui prend avec la nature toutes les libertés que lui propose sa fantaisie, ou de Maurice Denis dominé par la rhétorique.

Sous un abri attenant à son atelier de Marly-le-Roi, Maillol travaille au monument Cézanne, qui sera placé sur la terrasse des Tuileries, près de l'Orangerie.

Venus en leur temps — les modes succédant aux modes et les systèmes aux systèmes —, les articles que publiait Maurice Denis dans les revues d'avant-garde et qui parurent, par la suite, groupés sous le titre de *Théories*, passionnèrent les jeunes générations accourues des quatre coins du monde pour apprendre les recettes du *nouvel art* enseigné à l'académie Ranson. A l'école de l'*Art sacré*, Maurice Denis s'emploie à renouveler le matériel saint-sulpicien. Aidé de ses élèves, il décore des églises.

Quelle étonnante évocation Vuillard nous offre ici de son ami ! Bonnard contemple sa toile fixée au mur par des punaises. Son basset Pouce regarde la porte. C'est ainsi que je me rappelle Bonnard, toujours debout et prêt à sortir. Soudain il prend un pinceau, ajoute ou retranche quelque chose à son tableau et repart muser ailleurs. Le contraste est grand entre les procédés de travail de Vuillard et de Bonnard. Bonnard, sollicité, en 1945, de peindre un grand panneau pour l'église d'Assy, choisit de représenter saint François de Sales à qui il donna les traits de son ami Vuillard.

C'est davantage le décor et l'atmosphère où travaillait Roussel dans son atelier de L'Étang-la-Ville que son portrait proprement dit que nous voyons ici. Méditant sur ses *Fontaines de Jouvence*, il ressemble au Dr Faust.

En décembre 1928, dans sa quatre-vingt-dixième année, s'éteignait comme une petite flamme la maman de Vuillard, l'inséparable compagne de sa vie.

« ... Mais je veux m'aider du souvenir de sa mère, la mieux chérie de ses amies. Elle occupe son existence. Si elle n'avait eu toute sa sagesse et le respect du métier où son fils triomphait, je crois bien qu'il le lui eût sacrifié et jusqu'au reste de tout ce qu'il aimait le plus profondément. Je ne risque rien, c'était la bienveillance même que cette charmante femme. Je n'oublierai plus le ton sur lequel elle disait : “ Ne suis-je pas sa mère ? ” » (Thadée Natanson, dans *Peints à leur tour*.)

ESQUISSE DU PORTRAIT DE Mme LANVIN *(1928)*

Un jour, le peintre et la grande couturière ont découvert qu'ils avaient habité la même maison, rue du Marché-Saint-Honoré, au temps de leur jeunesse : les Vuillard à l'entresol, la jeune arpète et sa mère sous les toits. Combien de fois s'étaient-ils croisés dans l'escalier avant de se retrouver pour de bon, face à face !

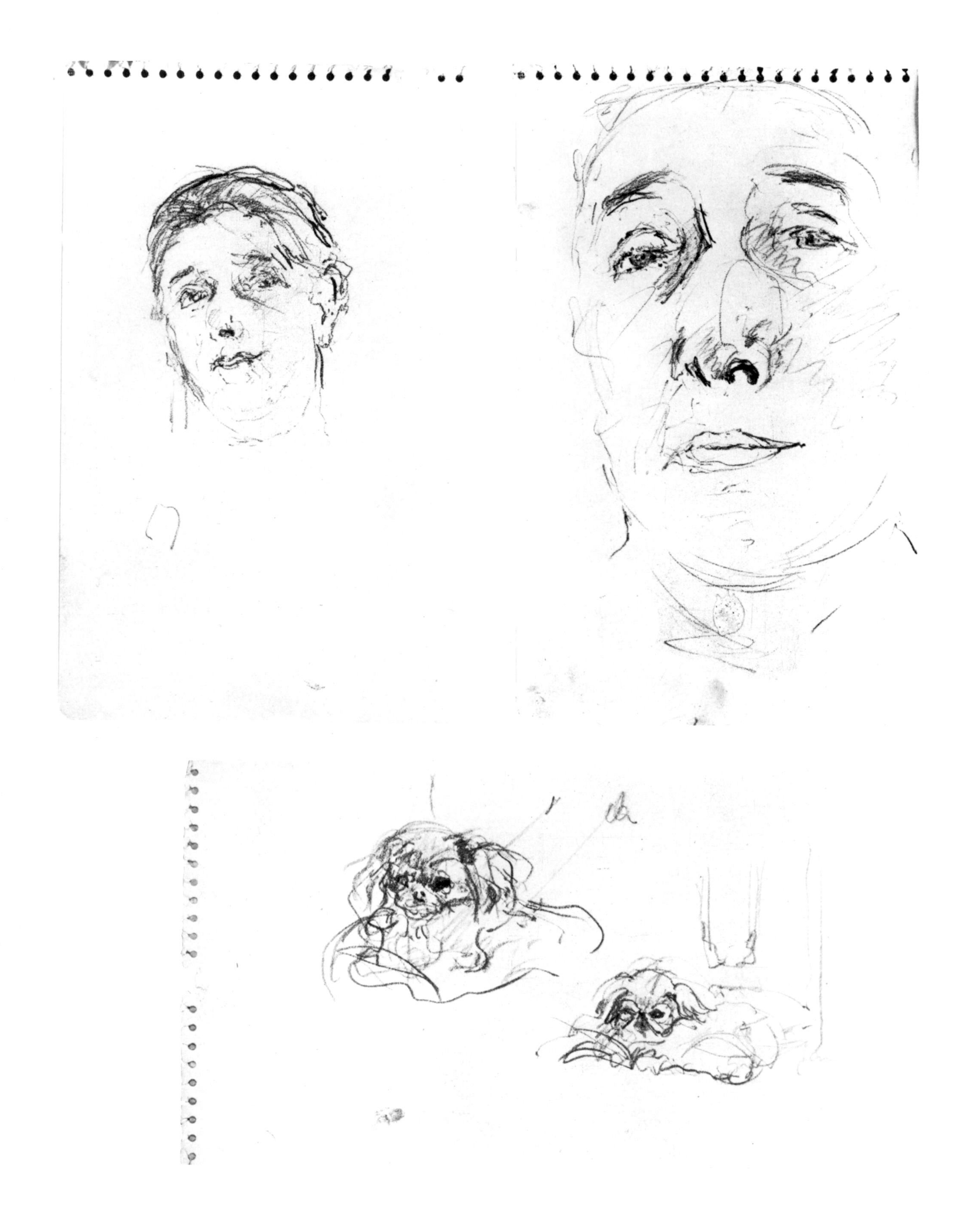

PORTRAIT DE LA COMTESSE MARIE-BLANCHE DE POLIGNAC *(1929)*

On peut se demander si Vuillard, en nous offrant un ouvrage aussi accompli, n'a pas eu le secret désir de tendre vers l'impersonnalité, ce qui, à mon sens, serait une forme de grandeur qui se moque de ce qu'on appelle abusivement l'originalité. En peignant comme tout le monde (comme on pourrait le dire aussi bien de Corot), cela sous-entend que personne ne peint comme lui.

Vuillard n'esquive vraiment aucune difficulté et jamais il ne se répète. Chaque œuvre représente pour lui une aventure dans laquelle il se jette héroïquement comme à la rencontre de lui-même et il la poursuit jusqu'à ce que les éléments de son tableau dégagent la même harmonie que le spectacle qui l'a inspirée. C'est dans le temps que Vuillard travaillait au portrait de Mme de Polignac que s'éteignait doucement sa vieille

maman, et ce tableau, par l'exceptionnelle complexité du sujet, m'a toujours semblé témoigner du dérivatif qu'il cherchait à sa grande tristesse.

A PONT-L'ÉVÊQUE, CHEZ JEAN LAROCHE *(1930)*

Après la mort de sa mère, Vuillard, qui, depuis des mois, n'avait jamais consenti à s'éloigner de Paris, céda aux instances de son ami Jean Laroche qui l'invita à séjourner dans sa propriété de Normandie. Nous voyons ici Jean Laroche entre Lucie Hessel et Romain Coolus.

LE CONCERT, PLACE VINTIMILLE *(1930)*

Le réputé violoniste Nauwinck est friand de peinture ; il sait que Vuillard apprécie la musique, aussi a-t-il pris l'habitude de venir de temps en temps bercer son chagrin le matin, peu avant le déjeuner, en se faisant accompagner de Mme Ortmans-Bach et de la pianiste Claude Crussard. Le chevalet et la table à dessin servaient de pupitre Nous n'étions jamais plus de trois ou quatre à jouir de ces séances qui avaient lieu dans la chambre même de Mme Vuillard, ce qui ajoutait de la ferveur au plaisir d'entendre la musique de Bach, Telemann et Vivaldi. *Annette à Villerville* (p. 117) et le paravent de Bonnard figurent dans ce magistral croquis au pinceau qui est la vie même.

Mme GILOU CHEZ ELLE *(1931)*

Mme Gilou était fort répandue dans la société que fréquentaient les Hessel. Elle y était redoutée à cause de son esprit et de son franc-parler. Elle se montrait fière de la collection de tableaux que lui avait vendus Hessel. Les Corot, les Renoir, les Forain, se serraient sur ses murs, chaque œuvre « assassinée » par un projecteur.

Mme Gilou s'entretient avec sa fille et Reynaldo Hahn. Ils posent. Cet ensemble dégage un je-ne-sais-quoi de moliéresque qui n'échappe pas à Vuillard; il nous en prend discrètement à témoin. Quel document pour ceux qui, plus tard, rêveront d'un salon parisien vers 1930 ! Ce tableau fut peint sur nature avec la liberté dont faisait preuve Claude Monet peignant un pont sur la Tamise.

LE CHATEAU DES CLAYES *(vers 1931)*

En 1925, Hessel acheta le château des Clayes, fort belle demeure située au-delà de Versailles. Vuillard aimait se promener, sa boîte de pastels sous le bras, dans le grand parc dessiné par Le Nôtre. On voit ici la fenêtre ouverte de sa chambre, au rez-de-chaussée, dans l'aile gauche.

LE BOUDOIR AU VOILE DE GÊNES *(1931)*

Voici encore un exemple saisissant de la subordination de Vuillard à ce qu'il regarde et dont il sort incontestablement grandi.

On peut préférer l'esquisse au tableau. L'esquisse nous offre, comme naissante, la pensée de l'artiste; elle nous en impose moins que l'œuvre accomplie. Mais, dans

celle-ci, c'est tout l'homme qui nous est livré et qui nous donne sa mesure. A chacun de s'y élever, car, à partir de l'esquisse, il y a tant de chemin à faire jusqu'à la réalisation de l'œuvre d'art !

L'esquisse s'apparente, par la rapidité de l'exécution, à l'impressionnisme, qui imposait à ses adeptes une technique rapide en raison des variations de la lumière. De là, une nouvelle conception du tableau s'est imposée aux artistes — et au public par conséquent — et finalement a mis, en quelque sorte, la peinture sans étude, c'est-à-dire l'ébauche, à la portée du premier venu. C'est contre cette tendance que Vuillard a réagi. Sans renoncer pour cela aux conquêtes de Monet, dont il tire la leçon, il renoue avec la grande tradition en s'appliquant au portrait, qui, ainsi que le confirmait Cézanne, est l'aboutissement de l'art.

Les progrès des éclairages électriques, qui ont transformé à un degré inimaginable la vision que nous avions jusque-là du monde et, en particulier, de nos appartements, vont inciter Vuillard à affronter les problèmes que pose la multiplicité de ces nouveaux astres, produits de la science, qui associent, jusqu'à les confondre, l'ombre et la lumière. Cela est une gageure; aucun peintre n'avait encore abordé avec cette franchise un tel problème en donnant surtout à son ouvrage cette netteté, qui est, comme l'a dit Vauvenargues, le vernis des maîtres.

LA FENÊTRE OUVERTE SUR LE SQUARE *(1935)*

C'est de sa fenêtre, au 6 de la place Vintimille, que Vuillard a dessiné de la plume d'or de son Waterman, courant sur une feuille de papier-calque, ce délicieux brouillard de verdures et de toits. Il devait ensuite le reporter sur cuivre en y ajoutant quelques menus détails et de timides silhouettes de promeneurs pour illustrer l'album *Paris mon cœur* édité par Tisné.

On voit, à l'arrière-plan, la rue de Douai dans laquelle débouche, à gauche, la petite rue Pierre-Haret ; à droite, c'est le Sacré-Cœur qui émerge au-dessus de l'enfilade de la rue de Bruxelles qui aboutit place Blanche.

En 1944, le cuivre barré fut utilisé par Daragnès pour illustrer *Le Tombeau de Vuillard*, de Jean Giraudoux. Cette plaquette a été tirée à cent cinquante exemplaires et porte en sous-titre : *Pour les Amis de Vuillard.*

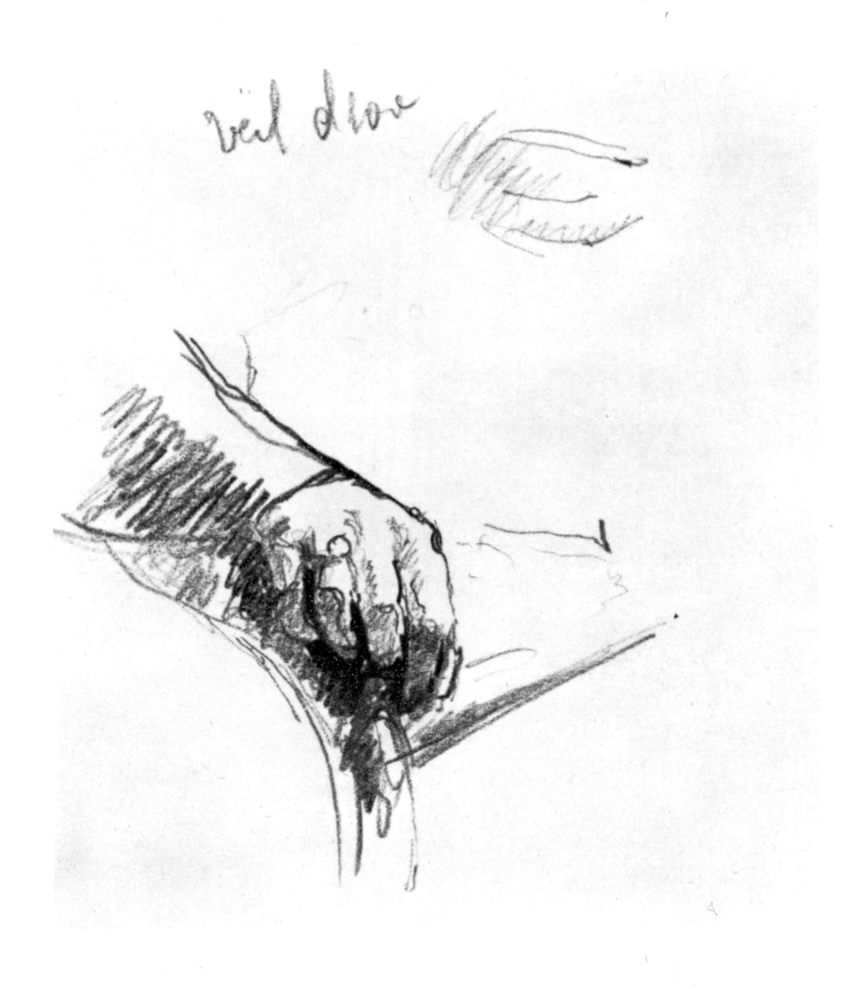

UNE DAME SOUS LA LAMPE *(vers 1930)*

Tous les soirs, ou presque, Vuillard dînait, 33 rue de Naples, chez ses amis Hessel. Sa journée de travail terminée, il s'y rendait généralement à pied vers six heures, et c'est dans cette partie du salon que nous nous retrouvions, attendant ensemble le retour de son amie. Souvent quelques intimes nous y rejoignaient.

Plusieurs tableaux représentent ce coin de cheminée auprès duquel se succédaient ses « modèles ». Dans celui-ci, nous reconnaissons Mme Léopold Marchand, que Vuillard affectionnait.

Ce tableau, que je considère comme un de ses chefs-d'œuvre d'intimité et de recueillement, Vuillard l'a peint naturellement loin du motif, d'après des croquis dont je le voyais couvrir son carnet. Il s'y est appliqué plusieurs saisons sans avoir le temps de l'achever, malgré ce beau croquis de la main resté en détresse !

LA DÉCORATION DU THÉATRE DE CHAILLOT *(1938)*

Sur la grande pelouse ensoleillée du parc des Clayes, s'ébattent les petits personnages de la comédie italienne, tandis que, au premier plan, éclairés par une rampe invisible, dialoguent ceux de la comédie classique.

Je ne vois guère dans toute l'œuvre de Vuillard, toujours soumise au spectacle qu'il a sous les yeux, un autre exemple de cette liberté d'imagination, si ce n'est toutefois le *Pax Musarum Nutrix* qu'il exécutera, l'année suivante, pour le Palais des Nations, à Genève. C'est en effet avec une surprenante ingéniosité que Vuillard a réussi à associer ces deux éclairages, si parfaitement accordés qu'ils confèrent à l'œuvre un aspect de nature enchanteur et féerique.

A cette sorte de défi sont venues se greffer les gênes et les complications matérielles que je vais dire.

N'ayant plus son atelier du boulevard Malesherbes, c'est dans une chambre de son appartement, place Vintimille, que, pour ne pas avoir à se déplacer, Vuillard entreprit de peindre son tableau. Si la largeur du mur se prêtait, à la rigueur, à ce travail, il s'en fallait de beaucoup pour ce qui était de la hauteur... si bien que la toile reposait sur le parquet et s'y enroulait, ce qui obligea Vuillard, en cours d'exécution, à remonter sa toile pour en peindre le bas. En plus, le manque de recul ne lui ayant pas permis de voir l'ensemble, il dut attendre que le tableau fût transporté dans l'entrée du théâtre, où les œuvres de Bonnard et de Roussel attendaient leur mise en place, pour juger de l'effet. Dès lors, Vuillard, à qui avait été destinée la place centrale, s'entendit avec Bonnard pour qu'elle fût attribuée à Roussel, dont l'œuvre, quoique inachevée, témoignait d'incomparables qualités décoratives.

Après plusieurs séances de travail sur place, Vuillard ne se montra pas mécontent. Il déplorait seulement que l'ensemble n'eût pas été confié au seul Roussel pour le sens que celui-ci avait du monumental. Quant au reste de l'édifice, sans discuter le talent de chacun des peintres qui s'y affrontaient, il trouvait que cela faisait penser à la tour de Babel.

UNE SÉANCE A L'INSTITUT *(vers 1937)*

Vers 1934, Vuillard et Roussel, se rendant aux sollicitations de Maurice Denis, acceptent d'être membres temporaires de l'enseignement supérieur des Beaux-Arts pour juger les concurrents au prix de Rome. Sans doute cèdent-ils l'un et l'autre à un désir de retrouver l'atmosphère de leurs jeunes années.

A l'ancien académisme avait succédé un autre académisme : celui des Indépendants et du Salon d'Automne. Le goût du succès immédiat, si fâcheusement encouragé à l'École par les prix et les médailles, s'était mué, chez ces jeunes gens vivant à une époque de mercantilisme et de réclame, en recherches tapageuses de procédés à la mode. C'est de préférence vers des ouvrages souvent ternes, mais présentant de solides qualités, que se portait, nous disait Maurice Denis, l'intérêt de Vuillard, déconcertant souvent ses nouveaux collègues à qui, cependant, en peu de mots, il savait imposer son point de vue.

Voyant avec quelle conscience Vuillard s'acquittait de ses fonctions, Maurice Denis et Desvallières, auxquels s'était joint le collectionneur David-Weil, entreprirent de le décider à venir les rejoindre à l'Institut et conçurent à cet effet un véritable plan de campagne. Pour toute réponse, Vuillard se contentait de sourire, levant les bras au ciel, bien décidé à décourager ses amis. A la longue, Vuillard se trouva pris dans un dilemme : se maintenir dans son attitude devenait désobligeant et, en même temps, il semblait donner une grande importance à ce qui ne pouvait que le laisser indifférent. Enfin, de divers côtés, s'élevèrent d'autres appels qui lui assuraient son élection au premier tour, et, suprême argument, tous s'accordèrent pour le dispenser des démarches et des sacro-saintes visites d'usage. Ce fut par un court billet, dont Vuillard pesa longuement les termes, qu'il présenta sa candidature. Tout l'homme se montra dans cette circonstance.

Cette sorte de conspiration avait été gardée secrète par Vuillard et ses proches, si bien que, quelques jours après l'élection, rencontrant Bonnard qui n'était au courant de rien, c'est moi qui lui appris la nouvelle. Il s'en montra surpris, puis se mit à rire et conclut : « C'est bien fait pour lui ! »

Cette pochade quelque peu humoristique est antérieure de quelques années à l'élection dont je viens de narrer les péripéties.

Pour ne pas interrompre mon ouvrage sur un spectacle, en somme, aussi étranger à la vie de Vuillard, je rappelle à mon secours Annette, le modèle irréprochable qui n'a cessé d'apparaître dans ces pages, depuis la dédicace où son nom a justement sa place. Ne fut-elle pas l'amorce que m'a tendue le destin pour accomplir ce qui, sans doute, devait être ma vocation : admirer Vuillard !

ALBUM

1 Vuillard, Roussel et son père Henri, en 1888, chez le docteur Roussel à Nanteuil-le-Haudoin.

2 Sans doute à Villeneuve-sur-Yonne vers 1898 chez les Thadée Natanson. On reconnaît Vallotton, Vuillard, Stéphane Natanson, la comédienne Marthe Mellot, mariée à Alfred Natanson, Thadée et Misia. Debout, Cipa Godebski, le frère de Misia. L'opérateur est Alfred Natanson.

3 Roussel, Vuillard, Coolus et Vallotton, vers 1896.

4 Chez les Natanson à Paris. Misia et Coolus vers 1896.

5 Mme Hessel dans l'atelier de Vuillard.

6 Mme Hessel dans sa chambre, vers 1905.

7 Vuillard dessinant, vers 1905.

8 Mme Vuillard se coiffant, vers 1905.

9 Annette Roussel (vers 1906).

10 Roussel et Vuillard à L'Etang-la-Ville (vers 1923).

11 Vuillard dans la pièce où il travaille, 26, rue de Calais (1925).

12 A Giverny, chez Claude Monet, 1925.

13 Mme Vuillard, le matin, dans la chambre de son fils (1925).

14 Au 6, place Vintimille (1927).

15 Au 6, place Vintimille (1927).

16 Le déjeuner de Mme Vuillard, place Vintimille, 1927.

17 A L'Etang-la-Ville, dans le jardin de Roussel. A droite, c'est Thadée Natanson.

18 Vuillard dessinant de sa fenêtre, place Vintimille.

1

2

3

4

5

6

7

8

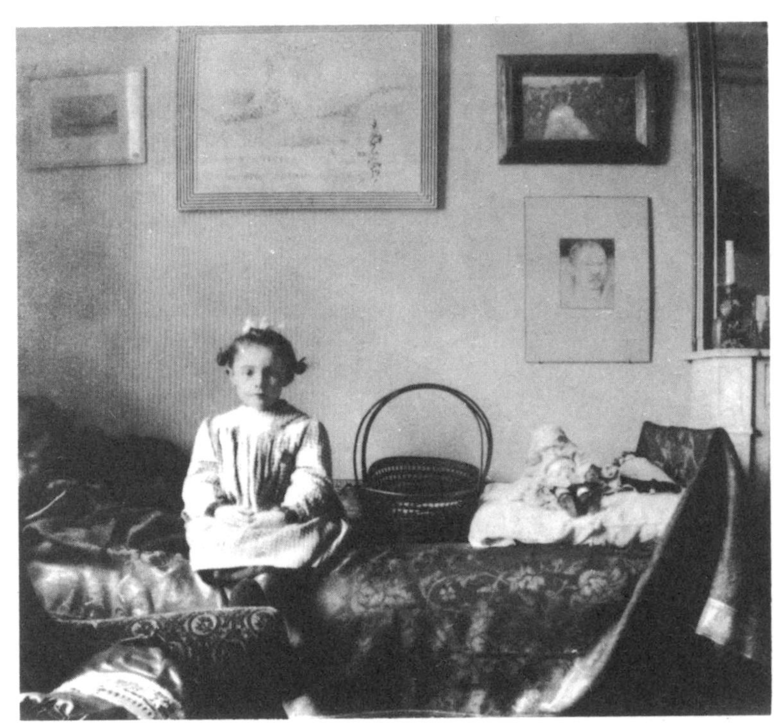

9

10

11

12

13

14

15

16

17

DATES DE LA VIE DE VUILLARD

1868 11 novembre, naissance d'Edouard Vuillard à Cuiseaux (Saône-et-Loire) où son père, capitaine en retraite, est percepteur.

1878 La famille Vuillard retourne à Paris, rue de Chabrol, puis rue Daunou.
Edouard est élève à l'école Rocroy-Saint-Léon, dirigée par les Frères Maristes, puis externe au Lycée Condorcet, comme boursier. Il se lie d'amitié avec K. X. Roussel. Il rencontre également Lugné-Poe et Maurice Denis.

1884 Vuillard perd son père. La famille habite rue du Marché-Saint-Honoré.

1887 Sous l'influence de Roussel, Vuillard renonce à préparer Saint-Cyr et rejoint son ami à l'atelier Maillart. La famille s'installe 10, rue de Miromesnil.

1888 Après un court séjour à l'École des Beaux-Arts (classe Gérome), Vuillard retrouve Roussel chez Julian où se forme le fameux groupe des Nabis. Il se lie avec Bonnard.

1890 Vuillard dessine le programme du Théâtre-Libre d'Antoine.

1891 Lugné-Poe présente Vuillard à son professeur Coquelin cadet, qui sera son premier amateur.
Vuillard partage avec Bonnard et Denis l'atelier de Lugné-Poe, 28, rue Pigalle.
Il expose dans les bureaux de *La Revue blanche*, récemment fondée par les trois frères Natanson, participe à la première exposition chez Le Barc de Boutteville.

1892 Premières décorations : pour les Desmarais, cousins des Natanson.

1893 Lugné-Poe fonde le Théâtre de l'Œuvre : Vuillard peint des décors, dessine les programmes.
La famille Vuillard s'installe 342, rue Saint-Honoré. Roussel épouse la sœur de Vuillard.

1894 Vuillard décore la salle à manger d'Alexandre Natanson.

1895 Fréquents séjours à Valvins chez les Thadée Natanson. Rencontre de Mallarmé.

1896 Vollard demande à Vuillard de composer un album de lithographies qui paraîtra en 1898.
Décorations pour le docteur Vasquez.

1897 Séjours à Villeneuve-sur-Yonne chez les Thadée Natanson.

1898 Vuillard et sa mère vont habiter 28, rue Truffaut. Décorations pour Claude Anet.

1899 L'été à Cannes avec les Natanson. Fait, avec Bonnard et Roussel, un aller et retour à Venise.
Expose pour la première fois chez les Bernheim Jeune, puis régulièrement jusqu'en 1914.

1900 Fait la connaissance de Mme Hessel à Romanel en Suisse chez les Vallotton.

1901 Première apparition de tableaux de Vuillard au Salon des Indépendants.

1902 Court voyage en Hollande. L'été en Normandie, à Criquebœuf, avec les Hessel. Depuis cette date et jusqu'en 1914, on le retrouve l'été avec ses amis, soit en Normandie, soit en Bretagne. Souvent les Roussel les y rejoignent.

1903 Expose au Ier salon d'Automne. L'été à Vasouy près de Honfleur.

1904 Vuillard et sa mère s'installent au 123, rue de la Tour.

1905 Voyage en Espagne avec Bonnard et les frères Bibesco.
Eté à Amfreville, en Normandie (également en 1906 et 1907).

1906 Donne des cours à l'Académie Ranson.

1907 Retour des Vuillard dans le quartier des Batignolles, 26, rue de Calais, au coin de la place Vintimille.

1908 Les Hessel, qui habitaient rue de Rivoli, s'installent 33, rue de Naples.
Vuillard achève les décorations (rues de Paris) pour M. Bernstein.
Le 13 juin, vente Thadée Natanson à l'Hôtel Drouot : 26 tableaux de Vuillard.
L'été en Bretagne, au Pouliguen.

1909 Prend un atelier 112, boulevard Malesherbes, qu'il gardera jusqu'en 1926.
L'été en Bretagne, à Saint-Jacut.

1910-1911 Étés à Villerville, en Normandie.

1912 Été à Loctudy, en Bretagne.

1913 Décore le foyer du Théâtre de la Comédie des Champs-Élysées.
L'été à Cabourg, en Normandie.
Vuillard et Bonnard à Hambourg et Berlin, invités par M. Alfred Lichtwark.

1914 Mobilisé comme garde-voie à Conflans-Sainte-Honorine.

1916 Vuillard peintre aux armées à Gérardmer.

1917-1924 Vuillard partage son temps entre Paris et Vaucresson où ses amis Hessel habitent le « Clos Cézanne » qu'ils quitteront pour s'installer au château des Clayes, près de Versailles.

1926 Vuillard et sa mère s'installent 6, place Vintimille.

1928 En décembre, mort de Mme Vuillard.

1929 Vuillard en Hollande avec les Hessel et Jean Laroche. Séjour chez ce dernier à Pont-l'Évêque.

1930 Voyage en Espagne avec les Hessel et Jean Laroche.

1934 Membre temporaire de l'enseignement des Beaux-Arts.

1936 Décoration pour le Palais des Nations à Genève.

1937 Vuillard est reçu à l'Institut (fauteuil de P. Chabas).
Décoration pour le Palais de Chaillot.

1938 Exposition rétrospective de l'œuvre de Vuillard au Musée des Arts Décoratifs.

1940 Le 21 juin, mort de Vuillard à La Baule.

PRINCIPALES EXPOSITIONS

1889 Paris, Salon de la Société des Artistes français.

1891 Paris, première exposition de *La Revue blanche*, Vuillard seul ; puis jusqu'en 1923, en groupe.

1891 Paris, Galerie Le Barc de Boutteville, première exposition des peintres impressionnistes et symbolistes ; puis en 1892, 1893, 1894.

1891-1892 Saint-Germain-en-Laye, en groupe.

1896 Bruxelles, la Libre Esthétique, expositions de groupe ; puis en 1901 et 1904, 1908, 1909, 1910 et 1911.

1897-1898 Paris, Galerie Vollard.

1899 Paris, Bernheim Jeune, en groupe ; puis régulièrement jusqu'en 1914.

1900 Berlin, Sécession ; expose encore à Berlin en 1903, 1906, 1908, 1909, à Munich en 1908 et 1911 et à Dresde en 1911.

1901 Paris, 17e Salon des Indépendants ; y participe régulièrement jusqu'en 1906, puis en 1909 et 1910.

1903 Paris, Bernheim Jeune, Vuillard.

1903 Paris, premier Salon d'Automne ; expose régulièrement jusqu'en 1906 puis en 1910 et 1912.

1903 Paris, galerie Druet, en groupe.

1906 Paris, Bernheim Jeune, Vuillard.

1908 Paris, Bernheim Jeune, Vuillard (deux fois).

1909 Paris, Bernheim Jeune, Vuillard.

1911 Paris, Bernheim Jeune, Vuillard.

1911 Rome, Exposition internationale.

1912 Paris, Bernheim Jeune, Vuillard.

1921 Paris, Bernheim Jeune, en groupe.

1924 Paris, Hôtel de la Curiosité et des Beaux-Arts, « 1re exposition de collectionneurs au profit de la Société des Amis du Luxembourg ».

1930 New York, Galerie Seligman, « Bonnard, Vuillard, Roussel ».

1932 Zurich, Kunsthaus, « Bonnard-Vuillard ».

1934 Paris, Beaux-Arts et Gazette des Beaux-Arts, « Gauguin, ses amis, l'école de Pont-Aven, l'académie Julian ».

1934 Venise, XIXe Biennale.

1936 Paris, Galerie Paul Rosenberg, « Bonnard-Vuillard ».

1936 Paris, Galerie Les Cadres (chez Bolette Natanson), « Les Peintres de La Revue blanche ».

1937 Paris, Petit Palais, « Les Maîtres de l'art indépendant, 1895-1937 ».

1938 Paris, Bernheim Jeune, « Vuillard, œuvres de 1890 à 1910 ».

1938 Paris, Musée des Arts Décoratifs (Pavillon de Marsan), « E. Vuillard ».

1938 Venise, Biennale.

1938-1939 Chicago, Art Institute, « Bonnard-Vuillard ».

1939 New York, Foire mondiale.

1941-1942 Paris, Musée de l'Orangerie, « Donation Vuillard ».

1942 Paris, Galerie Louis-Carré, « Vuillard ».

1942 à 1965 Paris, Galerie Charpentier, participation à de nombreuses expositions.

1946 Berne, Kunsthalle, « Vuillard, Müllegg ».

1946 Bruxelles, Palais des Beaux-Arts, « Vuillard ».

1947 Paris, Galerie Daber, « Vuillard ».

1947 Milan, Galerie de l'Annunziata, « Vuillard ».

1948 Londres, Galerie Wildenstein, « Vuillard ».

1948 Edimbourg, Royal Scottish Academy, « Pierre Bonnard et Edouard Vuillard ».

1948 Paris, Galerie Charpentier, « Vuillard ».

1948 Liège, Gand, Luxembourg, « Les peintures de Denis, Vuillard, Bonnard, du Musée national d'Art moderne de Paris ».

1948 New York, Galerie Seligman, « Vuillard ».

1948 Stockholm, Galerie de l'Art latin, « Vuillard ».

1948 Londres, The Hanover Gallery, « Paintings by Vuillard and Bonhomme ».

1949 Bâle, Kunsthalle, « Vuillard-Hag ».

1950 Londres, Galerie Wildenstein, « E. Vuillard » (pastels).

1950 Genève, Galerie Motte, « Edouard Vuillard ».

1951 Berne, Kunsthalle, « Toulouse-Lautrec et les Nabis ».

1953 Paris, Galerie H. Brame, « Vuillard, hommage à Mme Vuillard ».

1953 Paris, Bernheim Jeune, « Vuillard ».

1954 Cleveland, Museum of Art, « Edouard Vuillard ».

1954 New York, Museum of Modern Art, « Edouard Vuillard ».

1954 Londres, Galerie Marlborough, « Roussel, Bonnard, Vuillard ».

1954 Londres, Galerie Wildenstein, « Paris in the nineties ».

1954 Vevey, Musée Jénish, « Paris 1900 ».

1955 Paris, Musée national d'Art moderne, « Bonnard - Vuillard et les Nabis ».

1955 Paris, Galerie Huguette Berès, « Vuillard, lithographe ».

1957 Paris, Galerie Huguette Berès, « Bonnard, Roussel, Vuillard ».

1959 Munich, Kunstverein, « Bonnard, Roussel, Vuillard ».

1959 Milan, Palazzo Reale, « Edouard Vuillard ».

1960 Albi, Musée Toulouse-Lautrec, « Hommage à E. Vuillard ».

1960-1961 Paris, Musée national d'Art moderne, « Les Sources du XXe siècle ».

1961 Paris, Galerie Durand-Ruel, « Vuillard ».

1963 Paris, Théâtre des Champs-Élysées et Musée Bourdelle, « Centenaire du théâtre des Champs-Élysées ».

1963 Paris, Galerie de l'Œil, « Vuillard et son Kodak ».

1963-1964 Mannheim, Kunsthalle, « Les Nabis et leurs amis ».

1964 Londres, Lefevre Gallery, « Vuillard et son Kodak ».

1964 Hambourg, Kunstverein, « Vuillard ».

1964 Francfort, Kunstverein, « Vuillard ».

1964 Zurich, Kunsthaus, « Vuillard ».

1964 New York, Galerie Wildenstein, « Vuillard ».

1966 Paris, Galerie Maeght, « Autour de la Revue blanche ».

1966 Washington, National Gallery of Art, « French paintings from the collection of Mr and Mrs Paul Mellon and Mrs Mellon Bruce ».

1968 Munich, Haus der Kunst, « Vuillard, K. X. Roussel ».

1968 Paris, Musée de l'Orangerie, « Vuillard, K. X. Roussel ».

OUVRAGES CONSACRÉS A VUILLARD

Marguery (H.) : *Les Lithographies de Vuillard*. Paris, L'Amateur d'estampes, 1935.

Giraudoux (J.) : *Tombeau d'Edouard Vuillard*. Paris, Daragnès, 1944.

Salomon (J.) : *Vuillard, témoignage*. Paris, Albin Michel, 1945.

Roger-Marx (Cl.) : *Vuillard et son temps*. Paris, Arts et Métiers graphiques, 1946.

Chastel (A.) : *Vuillard*, 1868-1940. Paris, Floury, 1946.

Roger-Marx (Cl.) : *Vuillard*. Paris, Arts et Métiers graphiques, 1948.

Chastel (A.) : *Vuillard*, Peintures, 1890-1930, Paris, Les Editions du Chêne, 1948.

Roger-Marx (Cl.) : *L'Œuvre de Vuillard*. Monte-Carlo, A. Sauret, 1948.

Salomon (J.) : *Les Décorations d'Edouard Vuillard à la Comédie des Champs-Élysées*, Paris, vers 1948.

Mercanton (J.) : *Vuillard et le goût du bonheur*. Paris, A. Skira, 1949.

Schweicher (C.) : *Die Bildraumgestaltung, das Dekorative und das Ornementale im Werke von Edouard Vuillard*. Trèves, 1949.

Salomon (J.) et Vaillant (A.) : *Vuillard, cahier de dessins*. Paris, Les Quatre-Chemins, 1950.

Salomon (J.) : *Auprès de Vuillard*. Paris, la Palme, 1953

Schweicher (C.) : *Vuillard*. Berne, A. Scherz, 1955.

Salomon (J.) : *Vuillard admiré*. Paris, La Bibliothèque des Arts, 1951.

Salomon (J.) : *Vuillard*, 12 pastels commentés et présentés par Jacques Salomon; Paris, La Bibliothèque des Arts, 1966.

Russoli (F.) : *E. Vuillard*. Milan, Fabbri, 1967 (I Maestri del Colore, nº 170).

Dugdale (J.) : *Edouard Vuillard*. Londres, Furnell, 1967 (The Masters, nº 97).

Russoli (F.) et Martin (R.) : *E. Vuillard*. Paris, Hachette, 1967 (Chefs-d'œuvre de l'art, grands peintres, nº 74).

ARTICLES CONSACRÉS A VUILLARD

Natanson (Thadée) : *Edouard Vuillard*, dans *La Revue blanche* (1er avril 1899).

Hepp (A.) : *Edouard Vuillard*, dans *Le Divan* (avril-mai 1912).

Leclère (Tristan) : *Edouard Vuillard*, dans *Art et Décoration*, nº 226 (oct. 1920).

Roger-Marx (Cl.) : *Les lithographies de Vuillard*, dans *Arts et Métiers graphiques* (décembre 1934).

Lugné-Poe : *Avec Edouard Vuillard*, dans *Candide* (janvier 1938).

Véber (P.) : *Mon ami Vuillard*, dans *Les Nouvelles littéraires*, nº 811 (30 avril 1938).

Coolus (R.) : *Edouard Vuillard*, dans *L'Art vivant*, nº 221 (mai 1938).

George (W.) : *Vuillard et l'âge heureux*, dans *L'Art vivant*, nº 221 (mai 1938).

Hourticq (L.) : *Un poète de l'intimité, Edouard Vuillard*, dans *L'Illustration*, nº 5001 (7 janvier 1939).

Dorival (B.) : *Portrait d'artiste, Vuillard*, dans *Revue des Beaux-Arts de France*, nº 1 (octobre-novembre 1942).

Roger-Marx (Cl.) : *L'Organisation du tableau et la mémoire visuelle chez Vuillard*, dans *Arts*, nº 32 (7 septembre 1945).

Roger-Marx (Cl.) : *Vuillard, peintre de la vieillesse*, dans *L'Amour de l'Art*, nº 6 (novembre 1945).

Roger-Marx (Cl.) : *Edouard Vuillard, illustrateur*, dans *Le Portique*, nº 3 (1946).

Roger-Marx (Cl.) : *Edouard Vuillard*, 1867-1940, dans *Gazette des Beaux-Arts*, nº 952 (juin, 1946).

Jourdain (Fr.) : *Chronique artistique - Réflexions d'un vieil artiste à propos d'une rétrospective et du réalisme pictural*, dans *La Pensée*, nº 22 (janvier-février, 1949).

Chastel (A.) : *Vuillard*, dans *Art News Annual*, vol. XXIII (1954).

Martini (A.) : *E. Vuillard*, dans *Arte figurativa antica e moderna*, nº 5 (septembre-octobre 1959).

Salomon (J.) : *Vuillard paints a portrait*, dans *Art News*, vol. 60, nº 9 (janvier 1962).

Huisman (Ph.) : *Misia, muse de Vuillard*, dans *Connaissance des arts*, nº 133 (mars 1963).

Dugdale (J.) : *Vuillard, the decorator*. I. *First phase*, dans *Apollo*, nº 36 (février 1965).
La suite, *Last phase*, a paru dans *Apollo*, nº 68 (octobre 1967).

OUVRAGES ET ARTICLES GÉNÉRAUX INTÉRESSANT VUILLARD

Aurier (G. A.) : *Les Symbolistes*, dans *Revue encyclopédique*, n° 32 (1er avril 1892).

Marx (Roger) : *Les Indépendants, les Symbolistes*, dans *Le Voltaire* (29 août et 1er octobre 1892 et mars 1893).

Geoffroy (G.) : *La Vie artistique*. 2e série. Paris, E. Dentu, 1893.

Mellerio (A.) : *La lithographie originale en couleurs*. Paris, *L'Estampe et l'Affiche*, 1898.

Signac (P.) : *D'Eugène Delacroix au néo-impressionnisme*. Paris, *La Revue blanche*, 1899.

Geoffroy (G.) : *La Vie artistique*. 6e *série*. Paris, H. Floury, 1900.

Marx (Roger) : *Le Salon d'Automne*, dans *Revue universelle*, n° 123 (1er décembre 1904).

Meier-Graefe (J.) : *Entwicklungsgeschichte der Modernen Kunst*. Stuttgart, Hoffmann, 1904.

Gide (André) : *Promenade au Salon d'Automne*, dans *Gazette des Beaux-Arts*, n° 582 (1er décembre 1905).

Jamot (P.) : *Le Salon d'Automne*, dans *Gazette des Beaux-Arts*, n° 594 (1er décembre 1906).

Denis (M.) : *Théories 1890-1910. Du Symbolisme et de Gauguin vers un nouvel ordre classique*. Paris, Bibliothèque de l'Occident, 1912.

Guillemot (M.), Vaudoyer (J.-L.) et Brussel (R.) : *Le Théâtre des Champs-Élysées*, dans *Art et décoration*, n° 4 (avril 1913).

Jamot (P.) : *Le Théâtre des Champs-Élysées*, dans *Gazette des Beaux-Arts*, n° 670 (avril 1913).

Coquiot (G.) : *Cubistes, futuristes, passéistes*. Paris, Ollendorf, 1914.

Segard (A.) : *Peintres d'aujourd'hui, les décorateurs*. Paris, Ollendorf, 1914.

Wright (W. H.) : *Modern Painting*. New York and London, Lane, 1915.

Faure (E.) : *Histoire de l'Art*. T. IV. *L'Art moderne*. Paris, G. Crès, 1921.

Denis (M.) : *Nouvelles théories sur l'art moderne, sur l'art sacré*, 1914-1921. Paris, L. Rouart et J. Watelin, 1922.

Warth (L.) : *Quelques peintres*. Paris, G. Crès, 1923.

Verkade (Dom W.) : *Le Tourment de Dieu... Étapes d'un moine peintre*. Paris, L. Rouart et J. Watelin 1923.

Octave-Maus (M.) : *Trente années de lutte pour l'Art, 1884-1914*. Bruxelles, L'Oiseau bleu, 1926.

Focillon (H.) : *La Peinture aux XIX*e *et XX*e *siècles. Du réalisme à nos jours.* Paris, H. Laurens, 1928.

Basler (A.) et Kunstler (Ch.) : *La Peinture indépendante en France.* I. *De Monet à Bonnard.* Paris, G. Crès, 1929.

Bernard (Tristan) : *Jos Hessel*, dans *La Renaissance*, nº 1 (janvier 1930).

Cogniat (R.) : *Décors de théâtre.* Paris, Chroniques du jour, 1930.

Alexandre (Arsène) : *La Collection Canonne, une histoire en action de l'impressionnisme et de ses suites.* Paris, Bernheim Jeune et Renaissance de l'Art, 1930.

Lugné-Poe (A.) : *La Parade.* II. *Acrobaties, souvenirs et impressions de théâtre.* 1894-1902. Paris, N. R. F., 1931.

Bazin (G.) : *Les Nabis et le groupe Bonnard-Vuillard-Roussel.* III. Dans *L'Amour de l'Art*, nº 4 (avril 1933).

Chassé (Ch.) : *Les Nabis et le groupe Bonnard, Vuillard, Roussel*, dans *L'Amour de l'Art*, nº 4 (avril 1933).

Du Colombier (P.) et Manuel (R.) : *Tableau du XX*e *siècle*, 1900-1933. I. Paris, Denoël et Steele, 1933.

Denis (M.) : *L'époque du symbolisme*, dans *Gazette des Beaux-Arts*, nº 854 (mars 1934).

Huygue (R.) : *Histoire de l'Art contemporain, la peinture.* Paris, Alcan, 1935.

Hahnloser - Bühler (H.) : *Félix Vallotton et ses amis.* Paris, A. Sedrowski, 1936.

Natanson (Thadée) : *Sur une exposition des peintres de la Revue blanche*, dans *Arts et Métiers graphiques*, nº 54 (15 août 1936).

Escholier (R.) : *La Peinture française*, xxe siècle. Paris, Floury, 1937.

Vollard (A.) : *Souvenirs d'un marchand de tableaux.* Paris, Albin Michel, 1937.

Huygue (R.) : *Les Contemporains.* Paris, Tisné, 1939.

Dorival (B.) : *Les Étapes de la peinture française contemporaine.* T. I. *De l'impressionnisme au fauvisme*, 1883-1905. Paris, Gallimard, 1943.

Bazin (G.) : *L'Époque impressionniste.* Paris, Tisné, 1947.

Natanson (Thadée) : *Peints à leur tour.* Paris, Albin Michel, 1948.

Raynal (M.) : *Histoire de la Peinture moderne.* T. I. *De Baudelaire à Bonnard*, Genève, Skira, 1949.

Fels (Fl.) : *L'Art vivant de* 1900 *à nos jours.* T. I. Genève, P. Cailler, 1950.

Sert (Misia) : *Misia.* Paris, Gallimard, 1952.

Humbert (A.) : *Les Nabis et leur époque*, 1888-1900. Genève, P. Cailler, 1954.

Fargue (L. P.) : *Pour la Peinture.* Paris, Gallimard, 1955.

Rewald (J.) : *Post-impressionism from Van Gogh to Gauguin.* New York, Museum of Modern Art, 1956.

Dorival (B.) : *Les Peintres du XX*e *siècle, Nabis, Fauves, Cubistes.* Paris, P. Tisné, 1957.

Hermann (F.) : *Die Revue blanche und die Nabis.* Munich, *Mi Krokopie*, 1959.

Nattier-Natanson (E.) : *Les Amitiés de la Revue blanche et quelques autres.* Vincennes, Les Éditions du Donjon, 1959.

Chassé (Ch.) : *Les Nabis et leur temps.* Paris, Bibliothèque des Arts, 1960.

Dorival (B.) : *L'École de Paris au Musée national d'Art moderne.* Paris, A. Somogy, 1961.

Vergnet-Ruiz (J.) et Laclotte (M.) : *Petits et Grands musées de France, la Peinture française des primitifs à nos jours.* Paris, Cercle d'art, 1962.

Hofstätter (H. H.) : *Geschichte der europäischen Jugendstilmalerei*. Cologne, 1963.

Bacou (R.) : *Décors d'appartements au temps des Nabis*, dans *Art de France*, vol. IV, 1964.

Barilli (R.) : *Il gruppo dei Nabis*, dans *Arte moderna*, vol. II, nº 12 (1967).

Barilli (R.) : *Bonnard, Vuillard e la poetica degli interni*, dans *Arte moderna*, vol. II, nº 13 (1967).
Antologia critica, dans *Arte moderna*, vol. II, nº 18 (1967).

TABLE DES REPRODUCTIONS

61 La conversation. 212 × 152. *Musée national d'Art moderne, Paris.*

62 Sous les arbres. 212 × 96. *The Museum of Art, Cleveland, États-Unis.*

62 Les deux écoliers. 212 × 96, *Musée royal des Beaux-Arts, Bruxelles.*

63 Le prétendant. 1893. Huile sur carton. 44 × 51. *Smith College Museum of Art, Northampton, Massachusetts, États-Unis.*

64 Le grenier de « La Grangette » à Valvins. 1896. Dessin.

65 Le grenier de « La Grangette », à Valvins. 1896. Huile sur carton, 20 × 20. *Collection privée, Paris.* (Tableau volé en 1966).
Panneaux décoratifs peints pour le docteur Vaquez, 1896. Colle sur toile. *Musée du Petit Palais, Paris.*

66 La lecture, 210 × 153.

67 La couture, 210 × 75.

67 Dans la bibliothèque, 210 × 75.

68 La musique, 210 × 153.

70 Intérieur aux tentures roses. 1898. Lithographie, 34 × 27.

71 La pâtisserie. 1898. Lithographie, 35,5 × 27.

72 La maison de Mallarmé à Valvins. 1896. Huile sur carton, 26 × 31. *Collection Mr René Seligman, New York, États-Unis.*

73 Misia et Vallotton, 1899. Huile sur carton, 72 × 53. *Collection privée, Paris.*

74 Une tasse à déjeuner, dessin.

75 Mme Vuillard tenant un bol. 1897. Huile sur carton, 59 × 54. *Collection Mr André Meyer, New York, États-Unis.*

76 Portrait de Lautrec. Vers 1897. Huile sur carton, 25 × 23. *Musée Toulouse-Lautrec, Albi.*

77 Misia au piano et son frère Cipa Godebski l'écoutant. Vers 1897. Huile sur carton, 60 × 50. *Staatliche Kunsthalle, Karlsruhe, Allemagne Fédérale.*

78 Le salon aux trois lampes. 1899. Huile sur toile, 58 × 94. *Collection M. Gustave Zumsteg, Zurich, Suisse.*

79 Portrait de Misia Natanson. Vers 1898. Huile sur carton. 51 × 66. *Collection privée, États-Unis.*

80 Devant la maison. 1898. Colle sur toile, 214 × 161. *Collection The honourable James Dugdale, Angleterre.*

81 Dans le jardin, 1898. Colle sur toile, 214 × 161. *Collection The honourable James Dugdale, Angleterre.*

83 Cipa à la pipe. Vers 1897. Huile sur carton, 65 × 51. *Collection privée, Paris.*

84 M. et Mme Arthur Fontaine. 1904. Huile sur carton, 63 × 62. *Collection privée, États-Unis.*

85 La famille Roussel à table. 1899. Huile sur carton, 58 × 91. *Collection privée, Paris.*

86 La veuve en visite. Vers 1899. Huile sur carton, 50 × 63. *Art Gallery of Ontario, Toronto, Canada.*

87 La loge. Vers 1902. Pastel sur papier, 62 × 47. *Collection privée, Paris.*

88 M. et Mme Hessel dans leur salon. Vers 1900. Huile sur carton, 62 × 60. *Collection privée, Paris.*

89 La famille, 1902. Colle sur papier marouflé sur toile, 66 × 107. *Collection privée, Paris.*

90 La soupe d'Annette, 1904. Huile sur carton, 35 × 62. *Musée de l'Annonciade à Saint-Tropez.*

91 De la fenêtre, 123, rue de la Tour. Vers 1904. Huile sur carton, 52 × 56. *Collection privée.*

92 Annette à la chaise cassée. Vers 1903 Huile sur carton, 38 × 53,5. *Art Institute, Chicago, États-Unis.*

93 Mme Vuillard remplissant une carafe. Vers 1904. Huile sur carton, 44 × 40. *Collection Mr et Mrs Paul Mellon, États-Unis.*

94 Mme Hessel. Vers 1903. Dessin.

95 Mme Hessel, rue de Rivoli. Vers 1903. Huile sur carton, 62 × 60. *Collection privée, Paris.*

96 Mme Vuillard lisant le journal, rue Truffaut. Vers 1900. Huile sur carton, 33,7 × 53,7. *Musée of fine arts, Boston, États-Unis.*

97 Roussel et Annette. Vers 1904. Huile sur carton, 57 × 52. *Albright Art Gallery, Buffalo, New York, États-Unis.*

98 Jacques Roussel sur les genoux de Mme Vuillard. 1904. Huile sur carton, 38 × 46. *Collection privée, Paris.*

99 Le salon à « La Montagne ». 1903. Huile sur carton, 46 × 62. *Collection privée, Paris.*

100 Lucie Hessel devant la mer. Vers 1904. Huile sur carton, 22 × 22. *Collection Mrs Clare Boothe Luce, New York, États-Unis.*

101 Portrait de Vuillard par lui-même. Vers 1905. Colle sur carton, 38 × 48. *Collection privée, Paris.*

102 Le lit-cage. Vers 1900. Huile sur carton, 58 × 51. *Collection privée, Paris.*

103 Le modèle se déshabillant. Vers 1905. Huile sur carton. 62 × 89. *Kimbell Art Foundation, Fortworth, Texas, États-Unis.*

104 Annette aux bigoudis. 1906. Huile sur carton, 30,5 × 28,5. *Collection privée, Paris.*

105 Portrait d'Alexandre Vuillard. Vers 1905. Huile sur toile, 66 × 72. *Collection privée, Paris.*

106 Le piano de Mme Vuillard. Vers 1906. Dessin.

107 Portrait de Mme Vuillard. Vers 1905. Huile sur toile, 46 × 38. *Collection Mrs Charles S. Payson, New York, États-Unis.*
Rues de Passy. 1904-1908. Colle sur toile. *Collection Mr et Mrs David Rockefeller, New York, États-Unis.*

109 Une place, 193 × 64.

109 La voiture d'arrosage, 193 × 64.

110 La rue, 189 × 43.

110 La Tour Eiffel, 189 × 43.

110 L'enfant au ruisseau, 189 × 43.

111 La place Vintimille. 1907-1908. Deux peintures à la colle sur toile, 195 × 65. *The Solomon R. Guggenheim Museum, New York, États-Unis.*

112 La partie de dames à Amfreville. Vers 1906. Huile sur carton, 75 × 109. *Collection professeur Hans R. Hahnloser, Berne, Suisse.*

113 Mme Hessel dans son salon, rue de Naples. Vers 1910. Huile sur carton, 74 × 68. *Collection privée, Paris.*

114 Les enfants Roussel, rue de Calais. Vers 1909. Colle et pastel sur carton, 45 × 53. *Tate Gallery, Londres, Angleterre.*

115 Mme Hessel devant la table à couture. Vers 1910. Huile sur carton, 56 × 60. *Collection Mr et Mrs Don D. Harrington, Amarillo, Texas, États-Unis.*

116 La chambre à coucher à Villerville, 1911. Dessin.

117 Annette sur la plage de Villerville. 1911. Colle sur papier marouflé sur toile, 172 × 124. *Collection privée, Paris.*

119 L'écriture de Vuillard.

121 La petite cuisine, boulevard Malesherbes. Vers 1913. Colle sur papier marouflé sur toile, 80 × 60. *Collection privée, Paris.*

122 « Le Petit Café ». 1912. Colle sur toile, 188 × 290. *Au foyer de la Comédie des Champs-Élysées, Paris.*

123 « Le Malade imaginaire ». 1912. Colle sur toile, 188 × 305. *Au foyer de la Comédie des Champs-Élysées, Paris.*

124 L'acteur Lugné-Poe. 1912. Colle sur toile, 55 × 64. *Au foyer de la Comédie des Champs-Élysées, Paris.*

125 Vue sur la Binnenalster à Hambourg. 1913. Colle sur carton, 74 × 55,2. *Kunsthalle, Hambourg, Allemagne Fédérale.*

126 Croquis d'études pour « Annette rêveuse ».

127 Annette rêveuse. Vers 1918. Colle sur papier marouflé sur toile, 72,5 × 69. *Collection privée, Paris.*

128 Premier croquis pour le portrait du docteur Viau.

129 Portrait du docteur Viau opérant. 1914. Colle sur toile, 110 × 140. *Musée national d'Art moderne, Paris.*

130 La place Saint-Augustin. 1912-1913. Colle sur toile, 156 × 193. *Collection privée, Paris.*

131 La place Saint-Augustin. 1912-1913. Colle sur toile, 156 × 193. *The Minneapolis Institute of Arts, Minneapolis, Minnesota, États-Unis.*

132 Jeune femme assise près d'un poêle. Vers 1913. Colle sur toile, 84 × 93. *Wallraf-Richartz Museum, Cologne, Allemagne Fédérale.*

133 La chapelle du château de Versailles. 1918-1930. Colle sur toile, 96 × 66. *Donation de M. Jacques Laroche au Musée national d'Art moderne, Paris, sous réserve d'usufruit.*

135 La place Vintimille. 1918. Colle sur carton, 100 × 70. *Collection privée, Paris.*

168 Maurice Denis décorant une chapelle. Vers 1925. Colle sur papier marouflé sur toile, 114 × 138. *Musée du Petit Palais, Paris.*

169 Bonnard. Vers 1925. Colle sur papier marouflé sur toile, 114 × 143. *Musée du Petit Palais, Paris.*

170 K. X. Roussel dans son atelier. Vers 1925. Colle sur papier marouflé sur toile, 124 × 112. *Musée du Petit Palais, Paris.*

171 Portrait de Mme Vuillard. Vers 1926. Dessin au fusain, 60 × 74. *Collection privée, Paris.*

172 Esquisse du portrait de Mme Lanvin. 1928. Colle sur toile, 123 × 136. *Collection privée. Paris.*

173 Trois croquis d'après Mme Lanvin.

174 Croquis d'après la comtesse de Polignac.

175 Portrait de la comtesse Marie-Blanche de Polignac. 1929. Colle sur toile, 115 × 88. *Musée national d'Art moderne, Paris.*

176 A Pont-l'Évêque, chez Jean Laroche. 1930. Huile sur toile, 74 × 99. *Collection privée.*

177 Le concert, place Vintimille. 1930. Colle sur papier marouflé sur toile, 99 × 85. *Collection M. et Mme Fernand Javal. Paris.*

178 Mme Gillou chez elle. 1931. Huile sur toile, 75 × 90. *Collection privée, États-Unis.*

179 Le château des Clayes. Vers 1931. Colle sur papier marouflé sur toile, 146 × 130. *Collection privée, Paris.*

180 Le boudoir au voile de Gênes (premier état). 1931. Colle sur papier marouflé sur toile, 74 × 80. *Collection privée, Paris.*

181 Le boudoir au voile de Gênes. 1931. Huile sur toile, 88 × 79. *Collection M. et Mme Fernand Javal, Paris.*

183 La fenêtre ouverte sur le square. 1935. Dessin à la plume, 32,5 × 25,5. *Collection privée, Paris.*

184 La main de Mme L. Marchand. Dessin.

185 Une dame sous la lampe. Vers 1930. Colle sur papier marouflé sur toile, 78 × 83,5. *Collection privée, Paris.*

187 La comédie : décoration pour le théâtre du Palais de Chaillot. 1938. Huile sur toile, 250 × 250.

189 Une séance à l'Institut. Vers 1937. Colle sur papier marouflé sur toile, 98,5 × 72,5. *Collection privée, Paris.*

191 Annette. Vers 1904. Pastel sur papier, 19 × 17. *Collection privée, Paris.*

Les notices reproduites à la fin du présent ouvrage (chronologie de la vie de Vuillard, principales expositions, bibliographie et table des reproductions) ont été établies par Antoine Salomon.

Réalisé d'après les maquettes de Massin et avec la collaboration de l'auteur, cet ouvrage, composé en Imprint corps douze, a été achevé d'imprimer le 1er avril 1968 sur hélio mat des Papeteries Arjomari, pour le texte et pour les reproductions en héliogravure par les Etablissements Braun à Mulhouse, et pour les illustrations en couleurs par l'Imprimerie Tournon à Paris. La reliure a été exécutée par Babouot.

N° d'édition : 13 285 ; dépôt légal : 2e trimestre 1968 ; imprimé en France.